강력한 홍익대 자연계 수리논술

기출문제

저자 소개

저자 김근현은 현재 탁트인 교육, 일으킨 바람, 에듀코어 대표이다.
前 메가스터디 온라인에서 대입 논술과 면접, 자기소개서, 학생부종합 등 다양한 동영상 강의를 하였다.
현재는 학습 프로그램 개발 및 연구 활동을 통해 교육의 발전을 고민하고 있다.
홍익대학교에서 전자전기공학부를 졸업하고 동대학원에서 전자공학 석사(반도체 레이저)를 전공하였다. 또한 연세대학교 교육경영최고위자 과정을 마쳤으며 연세대학교 교육대학원에서 평생교육 경영을 공부하고 있다.

강력한 홍익대 자연계 수리논술 기출문제

발 행 | 2024년 05월14일
저 자 | 김근현
펴낸이 | 김근현
펴낸곳 | 일으킨 바람
출판사등록 | 2018.11.12.(제2018-000186호)
주 소 | 경기도 고양시 일산서구 하이파크 3로 61 409동 1503호
전 화 | 031-713-7925
이메일 | iIleukinbaram@gmail.com

ISBN | 979-11-93208-45-8

www.iluekinbaram.com

강력한 홍익대 자연계

수리논술 기출문제

김 근 현 지음

차례

I. 홍익대학교 논술 전형 분석

1. 논술 전형 분석

1) 전형 요소별 반영 비율

전형요소	논술	학생부교과	총합
논술고사	90%	10%	100%

2) 학생부 교과 반영

10%

(ㄱ) **반영교과 및 반영비율**

– 계열 구분 없이 국어, 수학, 영어, 택1(사회 / 과학) 반영

– 반영교과군의 각 교과별 상위 3과목씩 총 12과목을 학년구분 없이 반영

– 점수산출 활용지표 : 석차등급 (석차등급이 있는 과목만 반영)

※ 한국사는 포함하지 않음

대 상	인정범위	반영 교과
졸업(예정)자	1학년 1학기 ~ 3학년 1학기	국어, 영어, 수학, 과학, 사회

(ㄴ) **석차등급 환산점수표**

구분 등급	1등급	2등급	3등급	4등급	5등급	6등급	7등급	8등급	9등급
환산점수	100	99	97	94	90	85	60	30	0

(ㄷ) **교과 점수 산출**

'교과점수'는 아래의 식에 따라 소수 셋째 자리에서 반올림하여 소수 둘째 자리까지 구함

$$\text{교과점수} = \frac{\sum \text{반영 교과목의 환산 점수}}{\text{반영과목수}}$$

3) 수능 최저학력 기준

● **모집 단위 및 계열 : (자연계열, 캠퍼스자율전공(자연))**

● **수능 최저학력 기준 :**

-국어, 수학(미적분/기하), 영어, 탐구(과탐 중 상위 1과목) 중 *3개 영역* 등급의 *합 8* 이내

-한국사 4등급 이내

4) 논술 전형 결과

(ㄱ) 2023학년도 논술 전형 결과

모집단위		모집 인원	지원 자수	경쟁률	추가 합격률	교과점수최종등록자 (10점 만점)	
						평균	70%
	서울캠퍼스자율전공(자연·예능)	54	981	18	13	9	9
	서울캠퍼스자율전공(인문·예능)	39	1710	44	23	9	9
공과대학	전자·전기공학부	40	663	17	28	10	10
	신소재·화공시스템공학부	26	432	17	31	9	9
	컴퓨터공학과	35	656	19	31	10	10
	산업·데이터공학과	14	222	16	43	9	9
	기계·시스템디자인공학과	29	448	15	17	10	9
	건설환경공학과	10	132	13	30	9	9
건축도시대학	건축학부 건축학전공(5 년제)	10	292	29	0	10	9
	건축학부 실내건축학전공	4	61	15	0	10	10
	도시공학과	10	145	15	30	10	9
사범대학	수학교육과	6	100	17	17	10	10
	국어교육과	6	187	31	33	9	9
	영어교육과	6	178	30	17	9	9
	역사교육과	5	165	33	20	10	10
	교육학과	6	196	33	17	10	9
경영대학	경영학부	49	1974	40	10	10	10
문과대학	영어영문학과	7	238	34	71	9	10
	독어독문학과	5	176	35	20	9	10
	불어불문학과	5	154	31	80	10	10
	국어국문학과	5	160	32	80	9	9
법과대학	법학부	25	939	38	36	9	9
	경제학부	9	312	35	22	9	9
서울캠퍼스 합계		**405**	**10521**	**26**	**24**	**9**	**9**

1. 논술 분석

구분	자연계열
출제 근거	고교 교육과정 내 출제
출제 범위	2015 개정 교육과정 수학교과 공통 과목, 일반선택과목, 진로선택과목 중 기하 - 수학, 수학Ⅰ, 수학Ⅱ, 미적분, 확률과 통계, 기하
논술유형	자연형
문항 수	3문항
답안지 형식	밑줄형(노트형) 답안지
고사 시간	120분

1) 출제 구분 : 계열 구분

2) 출제 유형 :

- 수리적 사고 능력을 평가하기 위한 지문 또는 질문(수리형)
- 논리적 · 창의적 문제해결능력 측정을 위한 2~4개의 제시문 또는 질문
- 문항별 지정된 답안란에 작성(노트 형식의 답안지)

3) 출제 범위 :

- 2015 개정 교육과정 수학교과 공통 과목, 일반선택과목, 진로선택과목 중 기하

– 수학, 수학Ⅰ, 수학Ⅱ, 미적분, 확률과 통계, 기하

2. 출제 문항 수

구분	자연계
문항수	3문항

3. 시험 시간

· **120분**

4. 논술 유의사항

1) 답안 작성 시 유의 사항

1. 세 문제 모두에 답하십시오.
2. 답안에 제목을 쓰지 마십시오.
3. 모든 답안은 하나의 완결된 글로 쓰십시오.
4. 각 문제마다 답안을 벗어나지 마싯시오.
5. 제시문의 문장을 그대로 옮겨쓰는 경우에는 감점합니다. 단, 인용부호를 사용하

여 단어 또는 구를 인용할 수는 있습니다.

6. 수험생의 신원을 드러내는 표현이나 불필요한 표시가 있는 답안은 0점으로 처리합니다.

7. 답안의 작성 및 수정은 반드시 흑색 볼펜만을 사용하여야하고, 수정액이나 수정테이프는 사용할 수 없습니다.

2. 채점 기준 (2024학년도 수시)

● 문항 평가 기준 (2024학년도 1번)

하위 문항	채점 기준	배점
(1)	● 음함수의 미분법을 활용할 수 있음 (2점) ● 미분값 $\frac{dy}{dx}=-\frac{x}{9y}$ 를 정확히 계산하여 나타낼 수 있음 (2점)	4점
(2)	● c를 x_1과 y_1을 활용한 간소화된 식으로 표현할 수 있음 $\left(c=-\frac{x_1}{9y_1}\right)$(1점) ● d를 y_1을 활용한 간소화된 식으로 표현할 수 있음 $\left(d=\frac{1}{y_1}\right)$(2점) ● 접선의 x절편을 x_1을 이용한 간소화된 식으로 표현할 수 있음 (x절편 : $\frac{9}{x_1}$)(1점)	4점
(3)	● (2)에서 구한 접선의 방정식을 활용해 자투리 공간의 넓이를 x_1과 y_1에 대한 간소화된 식으로 정확히 표현할 수 있음 (넓이 : $\frac{18}{x_1y_1}-3\pi$) (2점) ● 제시문 (다)의 부등식을 활용하여 자투리 공간의 넓이의 최솟값을 구할 수 있음 ($12-3\pi$) (3점) ● 자투리 공간의 넓이가 최솟값을 가질 때 x_1, y_1의 값을 정확히 구할 수 있음 (3점) ● $(x_1,\ y_1)=\left(\frac{3\sqrt{2}}{2},\ \frac{\sqrt{2}}{2}\right)$ (3점)	8점
(4)	● $(x_1,\ y_1)=\left(\frac{3\sqrt{2}}{2},\ \frac{\sqrt{2}}{2}\right)$의 값을 가질 때, 울타리의 장축, 단축 길이를 정확히 계산할 수 있음 (장축$4\sqrt{5}$, 단축$2\sqrt{2}$)(2점) ● 울타리를 나타내는 타원의 방정식을 정확히 구할 수 있음 (2점)	4점

● 문항 평가 기준 (2024학년도 2번)

하위 문항	채점 기준	배점
(1)	● 기댓값 $E(X)$를 구함 (1점) ● 기댓값 $E(Y)$를 구함 (1점)	2점
(2)	● 홍익이 또는 아빠가 주사위 놀이에서 승리할 확률을 구함 (2점) ● 두 확률을 비교하여 아빠가 유리함을 판단함 (1점)	3점
(3)	● 홍익이가 승리한 날을 나타내는 확률변수는 이항분포$B\left(405,\ \frac{4}{9}\right)$를 따름을 서술함 (1점) ● 이항분포를 정규분포$N(180,\ 10^2)$로 근사하고, 표준정규분포표를 사용하여 확률을 계산함(2점)	3점
(4)	● 제시문에 주어진 조건이 엄마의 주사위에 쓰인 숫자의 선택에 미치는 영향을 고려하고, 엄마의 선택에 따라 확률p_1과p_2에 어떤 영향을 미치는지 분석함 (2점) ● p_1-p_2의 최댓값을 구함 (4점) ● 구한 값이p_1-p_2의 최댓값임을 논리적으로 증명함 (6점)	12점

● 문항 평가 기준 (2024학년도 3번)

하위 문항	채점 기준	배점
(1)	● 물풍선을 빠져나가는 물의 부피를 변화율을 사용하여 수식으로 표현함 (2점)	2점
(2)	● 단면에 만들어지는 원의 반지름이$\sqrt{(R_1^2-x^2)}$와 같음을 나타냄 (3점) ● $S(x)=\pi\left(R_1^2-x^2\right)$을 나타냄 (1점)	4점
(3)	● 문항(2)에서 사용한 넓이 구하는 공식$S(x)=\pi\left(R_1^2-x^2\right)$을 사용하고, 범위를 정확히 $\frac{1}{3}R_1$에서 부터R_1라고 표현함 (3점) ● 다음의 과정으로 정확하게 답을 도출함 (3점) $\int_{\frac{R_1}{3}}^{R_1}\pi\left(R_1^2-x^2\right)dx=\pi\left[R_1^2x-\frac{1}{3}x^3\right]_{\frac{R_1}{3}}^{R_1}=\pi\left[R_1^3-\frac{R_1^3}{3}-\frac{R_1^3}{3}+\frac{R_1^3}{81}\right]=\frac{28}{81}\pi R_1^3$	6점
(4)	● 물풍선을 빠져나간 물의 부피가 원뿔의 부피에서 물에 잠긴 물풍선의 부피를 제외한 부분을 계산함 (3점)	8점

하위 문항	채점 기준	배점
	$\varDelta V=\pi\left(\frac{2\sqrt{2}}{3}R_1\right)^2\times\frac{8}{3}R_1\times\frac{1}{3}-\frac{28}{81}\pi R_1^3=\frac{64}{81}\pi R_1^3-\frac{28}{81}\pi R_1^3=\frac{36}{81}\pi R_1^3$ ● 작아진 물풍선 부피의 변화량을 R_0에 대해서 표현함 (2점) $\varDelta V=\frac{4}{3}\pi R_0^3-\frac{4}{3}\pi R_1^3=\frac{4}{3}\pi R_0^3-\frac{4}{3}\pi\left(\frac{81}{36\pi}\varDelta V\right)\Rightarrow\varDelta V=\frac{1}{3}\pi R_0^3$ ● 빠져나가는 물의 비율과 R_0로 표현된 부피의 변화량으로 125초라는 결과를 도출함 (3점) $\varDelta V=\frac{\pi}{3}t_1=\frac{1}{3}\pi R_0^3$ $R_0=5$이므로, $t_1=\frac{3}{\pi}\times\frac{1}{3}\pi R_0^3=5^3=125$	

II. 기출문제 분석

1. 출제 경향

학년도	교과목	질문 및 주제
2024학년도 수시 논술	기하, 미적분, 수학	이차곡선, 접선의 방정식, 절대부등식
	확률과 통계	확률, 확률변수, 기댓값, 정규분포
	미적분	구의 적분, 원뿔의 적분
2023학년도 수시 논술 (오전)	기하, 수학Ⅱ	포물선, 넓이, 정적분
	확률과 통계	확률, 조건부확률, 독립과 종속의 의미 이해
	수학, 수학Ⅰ, 미적분	부등식, 수열의 합, 수열의 극한, 정적분의 활용
2023학년도 수시 논술 (오후)	수학, 수학Ⅰ, 기하	벡터, 이차함수
	수학Ⅱ	정적분의 활용
	확률과 통계, 수학Ⅱ, 미적분	확률의 곱셈정리, 도함수, 수열의 극한
2022년도 수시 논술 (오전)	수학Ⅰ, 적분, 기하	삼각함수, 삼각함수의 미분, 속도, 가속도
	확률과 통계	확률의 덧셈정리, 확률의 곱셈정리, 조건부확률, 정규분포
	수학, 수학 Ⅰ	접선, 삼각비, 삼각함수
2022학년도 수시 논술 (오후)	수학 Ⅰ	등비수열, 지수함수와 로그함수
	수학, 미적분, 수학II	이차방정식과 이차함수, 접선의 기울기, 부피
	수학, 확률과 통계	순열과 조합, 사건의 독립, 이항분포, 여사건, 확률의 덧셈정리
2021학년도 수시 논술 (오전)	수학 Ⅰ. 미적분, 확률과 통계	확률의 덧셈정리, 조건부 확률, 수열의 극한
	수학 II, 미적분	정적분, 속도와 거리, 접선의 방정식, 함수의 극대·극소, 함수의 최대·최소
	수학 I, 수학 II, 미적분	삼각함수, 수열의 극한, 함수의 극한
2021학년도 수시 논술 (오후)	수학, 수학Ⅱ, 확률과 통계	조합을 이용한 경우의 수, 함수의 그래프, 함수의 증감
	수학Ⅱ, 미적분	다항함수, 함수의 개형, 미분, 이계도함수, 롤의 정리
	수학, 수학Ⅰ, 확률과 통계, 미적분	삼각함수, 조합, 수열의 극한, 정적분과 급수

2. 출제 의도

학년도	출제의도
2024학년도 수시 논술	고등학교『기하』교과서에서 다루는 이차곡선 중 하나인 타원의 정의를 숙지하고 타원과 직선의 위치 관계에 대해 이해한다. 고등학교『미적분』교과서에서 다루는 음함수의 미분을 통해 미분값을 구할 수 있고, 접선의 방정식에 활용할 수 있다. 고등학교『수학』교과서에서 다루는 절대부등식을 활용하여 최대 최솟값을 찾을 수 있다. 이를 통해, 고등학교 과정에서 학습한 내용을 실생활 문제에 적용하여 최적의 해를 구하는 데 활용할 수 있다.
	고등학교『확률과 통계』교과서에서 다루는 경우의 수와 확률의 의미를 이해하고 이를 활용할 수 있는지 평가한다. (1) 이산확률변수의 기댓값을 구할 수 있는지 평가한다. (2) 경우의 수로부터 확률을 구하고 그 의미를 이해하는지 평가한다. (3) 이항분포의 평균과 표준편차를 알고, 정규분포로 근사하여 확률을 구할 수 있는지 평가한다. (4) 확률과 경우의 수를 활용하여 주어진 상황을 분석하고 논리적으로 해결할 수 있는지 평가한다.
	고등학교『수학』,『수학I』,『미적분』교과서에서 다루는 개념들을 종합적으로 활용하여 주어진 조건에서 해를 찾는 문제에 적용하고 해결할 수 있는지를 평가한다. 또한, 원의 면적을 구하는 식을 이용하여 구와 원뿔 부피를 구하는 것을 이해하고 활용할 수 있는지 평가한다. (1) 시간에 따른 변화량을 이해하고 구의 적분 부피의 변화량과의 관계를 식으로 만들어 낼 수 있는지를 평가한다. (2) 원뿔과 원의 특징을 이해하여 닮음 삼각형을 적용하여 길이를 유추하고, 그 관계를 이용하여 원의 넓이에 대한 수식을 만들 수 있는지를 평가한다. (3) 원의 넓이를 구하는 식을 단면의 적분 공식에 적용하여 구하고자 하는 구간의 부피를 구할 수 있는지를 평가한다. (4) 앞서 구한 부피와 닮은 삼각형을 이용하여 필요한 부피들을 할 수 있는지 평가한다. 또한, 제시문에 주어진 시간에 따른 변화량과 부피의 관계를 통해 시간개념을 이해하고 있는지를 평가한다.
2023학년도 수시 논술 (오전)	고등학교 기하 과목에서 제시되는 이차곡선 중 하나인 포물선의 특성을 파악하고, 포물선의 식을 구할 수 있는지 평가한다. 또한, 포물선으로 둘러싸인 도형의 넓이를 구할 수 있는지를 평가한다.
	사건의 독립과 종속의 의미를 이해하고 이를 설명할 수 있는지 평가한다. 확률의 곱셈정리를 이해하고 이를 활용할 수 있는지 평가한다.

학년도	출제의도
	독립시행의 확률을 이해하고 활용할 수 있는지 평가한다. 이항분포를 이해하고 활용할 수 있는지 평가한다.
	$\sum$의 뜻을 알고, 그 성질을 이해하고 이를 활용할 수 있는지 평가한다. 수열의 극한에 대한 성질을 이해하고, 극한값을 구할 수 있는지 평가한다. 정적분과 급수의 합 사이의 관계를 이해하는지 평가한다.
2023학년도 수시 논술 (오후)	실생활에서 고등학교 수학 교육과정에서 배운 개념들을 활용하여 주어진 조건에서 해를 찾는 문제에 적용하고 해결할 수 있는지를 평가한다. 또한, 좌표평면과 벡터의 성질을 이해하고 활용할 수 있는지 평가한다. (1) 위치벡터의 개념을 이해하고 평면벡터와 좌표의 대응을 활용할 수 있는지 평가한다. (2) 평면벡터의 크기와 좌표상의 거리의 개념, 원의 성질을 활용하여 문제의 조건에 맞는 함수를 찾을 수 있는지 평가한다. (3) 이차함수의 최솟값을 구할 수 있는지 평가한다.
	우주발사체의 재활용 기술이 주목받는 가운데, 학생들이 관심을 가질 수 있는 대상 중 수학적 해석이 가능한 대상을 문제의 배경으로 삼았다. 정적분을 활용하여 속도와 거리에 대한 문제를 해결할 수 있는지 평가한다. (1) 속도와 거리에 대한 관계를 이해하고 정적분을 활용하여 속도가 주어졌을 때 거리를 구할 수 있는지 평가한다. (2) 구간을 나누어 함수를 적분할 수 있는지 평가한다. (3) 속도와 거리의 상호 관계를 이해하는지 평가한다. 주어진 조건으로부터 식을 구하고 해를 찾아낼 수 있는지 평가한다.
	독립시행의 확률을 계산할 수 있는지 평가한다. 로그함수와 합성함수의 도함수를 구할 수 있는지 평가한다. 도함수를 이용하여 함수의 증가, 감소를 파악하고 부등식에 활용할 수 있는지 평가한다. 수열의 극한을 구하고 이를 활용할 수 있는지 평가한다.
2022학년도 수시 논술 (오전)	좌표평면 위의 점의 좌표를 삼각함수와 평면벡터의 합을 이용하여 나타낼 수 있는지 평가한다. 좌표평면 위를 움직이는 점의 속도와 가속도를 삼각함수의 미분을 이용하여 구할 수 있는지 평가한다.
	확률의 덧셈정리, 확률의 곱셈정리, 사건의 독립, 조건부확률, 정규분포를 이해하고 이를 이용하여 확률을 구할 수 있는지 평가한다. (1) 조건부확률의 의미를 이해하는지 평가한다. 또한, 정규분포를 따

학년도	출제의도
	르는 확률변수를 표준화하고 표준정규분포표를 이용하여 확률을 구할 수 있는지 평가한다. (2) (1)에서 구한 확률을 두 가지 경우에 비교할 수 있는지 평가한다. (3) 확률의 덧셈정리, 여사건의 확률, 확률의 곱셈정리를 이용하여 확률을 구할 수 있는지 평가한다.
	삼각형의 내각과 외각, 원과 접선 등 삼각형과 원의 성질을 이해하고 삼각함수를 이용하여 도형의 길이를 구할 수 있는지 평가한다. (1) 주어진 각도와 길이로부터 삼각함수를 이용하여 원의 반지름을 구할 수 있는지 평가한다. (2) (1)에서 구한 식을 이용하여 두 각도 사이의 관계를 구할 수 있는지 평가한다. (3) 문제에서 요구하는 길이가 두 원의 반지름의 차이임을 이해하고 (1), (2)의 결과를 이용하여 구할 수 있는지 평가한다.
2022학년도 수시 논술 (오후)	사회적으로 이슈가 되고 있는 다양한 환경 문제들 가운데, 일반적으로 경험할 수 있는 것을 출제 문제의 배경으로 삼고자 하였다. 창문이 열려 있을 때와 닫혀 있을 때 실내공기 중 유해물질의 농도가 각각 지수함수로 주어졌다. 지수함수와 로그함수의 성질을 이해하고 적절히 활용하여 문제를 해결할 수 있는지 평가한다. 로그의 성질을 이해하고 계산에 활용할 수 있는지 평가한다. (1) 지수함수와 로그함수의 성질을 이해하고 활용하여 간단한 방정식을 풀 수 있는지 평가한다. (2) 지수함수를 이용하여 문제의 조건에 맞는 적절한 부등식을 찾고 로그함수를 활용하여 이를 풀수 있는지 평가한다. (3) 등비수열, 지수함수를 이용하여 문제의 조건에 맞는 적절한 부등식을 찾고 로그함수를 활용하여 이를 풀 수 있는지 평가한다.
	실생활에서 경험하는 간단한 자연 현상들을 수학적으로 이해하고 해결할 수 있는지 평가한다. 이차방정식과 이차함수의 성질을 이해하고 미분과 적분을 활용하여 접선의 기울기와 입체도형의 부피를 구할 수 있는지 평가한다. (1) 정적분을 활용하여 입체도형의 부피를 구할 수 있는지 평가한다. (2) 주어진 조건으로부터 이차함수의 식을 구할 수 있는지 평가한다. (3) 도함수를 활용하여 접선의 기울기를 구할 수 있는지 평가한다. (4) 정적분을 활용하여 입체도형의 부피를 구할 수 있는지 평가한다. (5) 도함수를 활용하여 접선의 기울기에 대한 문제를 해결할 수 있는지 평가한다.
	제시문에서 주어진 확률적 상황을 파악하여 경우의 수를 구하고 확률

<table>
<tr><th>학년도</th><th>출제의도</th></tr>
<tr><td></td><td>을 계산할 수 있는지 평가한다.
(1) 사건의 독립을 이해하는지 평가한다.
(2) 이항정리 또는 이항분포를 이해하고 이용할 수 있는지 평가한다.
(3) 사건, 여사건 등의 확률적 개념을 잘 이해하고 확률의 덧셈정리를 이용하여 확률을 계산할 수 있는지 평가한다.
(4), (5) 순열과 조합을 이용한 경우의 수를 계산할 수 있는지 평가한다.</td></tr>
<tr><td rowspan="3">2021학년도
수시 논술
(오전)</td><td>주어진 사건의 확률 및 조건부 확률을 계산할 수 있는지 평가한다. 해당 확률을 계산하여 얻어진 수열의 극한을 구할 수 있는지 평가한다.
(1) 주어진 사건의 확률을 계산할 수 있는지 평가한다.
(2) 주어진 사건을 두 가지 경우로 나누어 각각의 확률을 조건부 확률을 이용하여 구할 수 있는지 평가한다.
(3) 주어진 사건을 두 가지 경우로 나누어 각각의 확률을 조건부 확률을 이용하여 구할 수 있는지 평가한다.
(4) 확률의 총합이 1임을 이해하고 있는지 평가한다. 수열의 극한값을 계산할 수 있는지 평가한다.
(5) 두 수열의 합의 극한은 각 수열의 극한값의 합과 같음을 이해하고 있는지 평가한다. 주어진 수열을 상수배한 수열의 극한값은 해당 수열의 극한값의 상수배한 결과와 같음을 이해하고 있는지 평가한다.</td></tr>
<tr><td>미분과 적분을 이용하여 입체도형의 부피, 좌표평면 위에서 점이 움직인 거리, 함수의 최댓값을 구할 수 있는지 평가한다.
(1) 정적분을 이용하여 입체도형의 부피를 구할 수 있는지 평가한다.
(2) 미분과 적분을 이용하여 좌표평면 위에서 점이 움직인 거리를 구할 수 있는지 평가한다.
(3) 원뿔의 부피를 적절한 함수로 나타내고, 미분을 이용하여 부피의 최댓값을 구할 수 있는지 평가한다.</td></tr>
<tr><td>간단한 평면도형과 삼각함수의 기본적인 성질을 이해하는지 평가한다. 이를 바탕으로 주어진 수학적 조건에서 변형되는 수열의 식을 수립하고 응용할 수 있는지 평가한다. 삼각함수로 이루어진 수열의 극한값을 구할 수 있는지 평가한다.
(1) 간단한 도형의 넓이를 삼각함수를 이용하여 구할 수 있는지 평가한다.
(2) 간단한 도형에서 각과 변의 길이 사이의 관계를 삼각함수를 이용하여 구할 수 있는지 평가한다.
(3) 도형의 넓이를 삼각함수를 이용하여 구할 수 있는지 평가한다. 삼</td></tr>
</table>

학년도	출제의도
	각함수의 극한을 구할 수 있는지 평가한다.
2021학년도 수시 논술 (오후)	주어진 사건이 일어날 경우의 수와 확률을 계산할 수 있는지 평가한다. 또한 함수의 증감을 파악하여 확률이 최대가 되는 값을 구할 수 있는지 평가한다. (1) 조합을 이용하여 확률을 구할 수 있는지 평가한다. (2) 식을 정리하여 간단한 유리함수 형태로 변형할 수 있는지 평가한다. (3) 일차 부등식을 만족하는 변수의 범위를 찾을 수 있는지 평가한다. (4) 위의 결과를 바탕으로 함수의 증감을 파악하여 확률이 최대가 되는 자연수를 구할 수 있는지 평가한다.
	다항식으로 주어진 방정식의 서로 다른 양의 실근의 개수에 관한 조건을 탐구하는 과정을 통하여, 롤의 정리 및 연속함수와 다항함수의 기본적인 특성을 이해하는지 평가하고, 해답을 유도하는 과정이 요구하는 수학적 사고력을 평가하고자 하였다.
	정다각형의 두 꼭짓점을 잇는 선분들의 길이와 그 평균에 대한 문제이다. 삼각함수의 기본 성질, 정적분과 급수의 관계, 경우의 수, 평균의 정의, 수열의 극한 등을 이해하고 적절히 응용할 수 있는지 평가한다. (1) 삼각함수를 이용하여 간단한 평면도형에서 선분의 길이를 구할 수 있는지 평가한다. (2) 평균의 정의와 정다각형의 대칭성을 이해하는지 평가한다. (3) 정적분과 급수의 관계로부터 급수의 극한을 구할 수 있는지 평가한다. (4) 간단한 경우의 수를 구할 수 있는지 평가한다. (5) 모집단을 나누었을 때, 각 집단의 평균과 전체의 평균과의 관계를 이해하는지 평가한다. 수열의 극한의 기본 성질을 이해하는지 평가한다.

III. 논술이란?

1. 논술이란?

1) 논술이란?

어떤 문제에 대해 자기 나름의 주장이나 견해를 내세운 다음, 여러 가지 근거를 제시하여 그 주장이나 견해가 옳음을 증명하는 글쓰기 활동을 말한다. 따라서 논술의 가장 기본적인 요소는 주장과 근거이다. 다시 말해 어떤 주제에 관해서 자신의 견해를 밝히고 자기 의견을 내세우는 글이 바로 논술이다. 때문에 논술은 특별히 논리적이어야 한다는 요구를 받게 된다. 왜냐하면 여러 가지 의견이 있을 수 있는 문제에 대해 자신의 의견을 세워 다른 사람을 설득하려면, 그 주장이 충분한 근거 위에서 논리적으로 개진될 때만 가능하기 때문이다.

2) 대한민국 논술고사는?

한국에서의 대학 입시 논술고사는 실제 교과 과정과 교과서가 기본이 되어 응용된 사고와 풀이 능력과 지식을 바탕으로 한다. 논술고사는 일반적을 비판적으로 글을 읽는 능력과 창의적으로 문제를 설정하고 해결하는 능력 그리고 논리적으로 서술하는 능력을 종합적으로 평가하는 시험이다. 비판적으로 글을 읽는다는 것은 능동적으로 자신의 관점에서 글을 읽는 것을 말하며, 창의적으로 문제를 설정하고 해결하는 능력이란 심층적이고 다각적으로 논제에 접근함으로써 독창적인 사고와 풀이를 이끌어낼 수 있는 능력을 말한다. 그리고 논리적 서술 능력은 글 구성 능력, 근거 설정 능력, 표현 능력 등을 포괄한다.

3) 자연계 논술? 그리고 그 변화

모든 글은 일반적으로 3가지 종류로 나뉘어진다. 시, 소설 등 문학 작품과 같은 글쓰기인 창작적 글쓰기(creative writing)와 설명문이나 해설문의 글쓰기는 해명적 글쓰기(expository writing), 그리고 논설문의 글쓰기인 비판적 글쓰기(critical writing)가 있다. 이 글쓰기 중 대한민국의 대학입시에서 시행되고 있는 자연계 논술은 창작적 글쓰기는 포함되지 않는다. 새로운 문학 작품을 쓰는게 아니라 제시문을 읽고 내용을 구체화시켜 잘 설명하는 설명문의 형태가 있고, 주어진 문제에 대해 생각하고 깊이있는 주장을 피력하는 비판적 글쓰기도 있다.

2. 논술의 기본 용어

1) 논제 : 논술의 문제를 의미한다.

반드시 해결하고 접근하여야 할 논술 시험의 대상이다.

(ㄱ) 중심 논제 : 채점할 때 가장 배점이 높으며, 핵심적으로 해결해야 할 논술의 문제

(ㄴ) 세부 논제 : 큰 논제 속에 포함된 작은 문제, 각 단계별 채점의 기준이 되며 세부 채점 항목으로 필수 해결 항목이다.

2) 논거 : 논술에서 설명하고 주장하는 논리적인 근거 혹은 이유

3) 주장 : 수험생이 생각하고 채점자에게 알리고 싶은 생각
4) 제시문 : 보기 지문을 말한다.
(ㄱ) 출제자가 논제 해결을 위해 보여주는 다양한 글
(ㄴ) 각종 그래프, 도표, 그림 등
자료가 정해져 있지는 않다. 하지만 고등학교 교과서를 가장 많이 인용하고, 고등학교 교과 과정으로 분석하고 판단할 수 있는 내용을 제시한다.
5) 개요 : 논제에 맞게 더 구체적으로는 세부 논제에 맞게 글의 진행 방향을 간략하게 정리하는 과정이다.

3. 논술의 명령어

논술고사 후 대학의 발표 자료를 보면 논술은 출제자의 의도에 부합하게 글을 써야 한다고 강조한다. 그런데 출제자의 의도를 파악하는 것은 자칫 상당히 모호하고 주관적인 것으로 판단하기 쉽다.

하지만 자연계 논술에서는 명령어가 한정되어 있다. 그 명령어들을 잘 익히고 의미를 파악한다면 훨씬 논술의 이해가 높아질 것이다. 또한 대학의 채점 기준에는 명령어의 요구조건을 충족하는지를 평가한다. 그러므로 자연계 논술의 명령어는 수험생에게는 아주 기초적이지만 필수적이며 절대 잊지 말아야 할 중요한 핵심이다.

1) ~ 에 대해 논술하시오.

; 주장을 밝히고 근거를 제시한다.

2) ~ 에 대해 설명하시오.

: 사실, 주장 등을 쉽게 풀어서 밝힌다.

- **~ 제시문 간의 관련성을 설명하시오.**
- **~ 제시문의 논리적 타당성과 문제점을 설명하시오.**
- **~ 제시문을 참고하여 주어진 자료의 특징을 설명하시오.**
- **~ 제시문의 관점에서 왜 그런 현상이 생기는지 그 이유를 설명하시오.**

3) ~ 의 비교하시오. 혹은 대조하시오.

: 공통점과 차이점을 중심으로 설명한다.

- **~ 공통점과 차이점을 설명하시오.**

4) ~ 을 분석하시오.

: 주제를 구성요소로 나누고 각 부분의 의미와 상호관계를 밝힌다.

5) ~ 제시문과 주어진 자료를 참고하여 현상을 예측해 보시오.

: 주어진 자료를 해석하고 자료로부터 얻을 수 있는 시간에 따른 변화나 자료의 발생 이유를 살핀다.

6) ~ 제시문의 문제점을 지적하고 그 문제점을 해결할 방법을 제시하시오.

: 보통은 수학이나 과학의 역사에서 발생했던 여러 오류나 실험과정에서 나타난 문

제점을 가지고 있다. 또한 이론이나 실험, 학생의 실험보고서 등과 같이 확실한 오류가 있는 제시문을 주기도 한다. 분명히 문제점을 파악하여 답안에 서술하고 문제점이나 해결할 수 있는 방법 등을 명확히 하여야 한다.

● ~ 제시문의 관점에서 왜 그런 현상이 생기는지 그 원리를 설명하고 그런 현상을 예방할 수 있는 방안을 제시하시오. **● ~ 문제점을 지적하고 합리적 대안을 제안해 보시오.** **● ~ 주어진 관점을 검증할 수 있는 방법을 논하시오.** **● ~ 주어진 문제점을 해결할 수 있는 실험을 설계해 보시오.**

7) 제시문의 관점에서 주장을 비판하시오.

: 어떤 주장의 타당성이나 가치 등을 평가한다.

4. 자연계 논술 글쓰기 유의사항

① 논제의 해결이 핵심이다. 출제자가 원하는 답을 써야 한다.

② 논제에 부합하는 글을 일관성 있게 써야 한다.

③ 한편의 글을 완성하여야 한다. 나열하거나 사례를 보여주는 것은 의미가 없다.

④ 제시문을 활용, 인용하는 것과 제시문을 그대로 옮겨 쓰는 것은 다르다. 적절하게 제시문의 내용을 사용하여 논제를 해결하여야 한다. 절대 제시문의 문장을 그대로 쓰면 안 된다. 금기사항이고 감점요인이다.

⑤ 부적절한 문장 즉, 비문을 만들지 말아야 한다. 주어와 서술어가 적절하게 있어 문장의 의미를 명확히 전달하여야 한다. 주어를 생략하거나 지시어를 과도하게 사용하면 문장의 의미가 모호해 진다.

⑥ 문장은 짧고 간결하게 써야 한다. 자신의 의견을 명확히 간결하고 효과적으로 밝혀야 한다.

5. 논술 확인 사항

1. 답안지는 지급된 흑색 볼펜으로 원고지 사용법에 따라 작성하여야 합니다.
(수정액 및 수정테이프 사용 금지)
2. 수험번호와 생년월일을 숫자로 쓰고 컴퓨터용 사인펜으로 ● 표기하여야 합니다.
3. 답안의 작성 영역을 벗어나지 않도록 각별히 유의 바라며, 인적사항 및 답안과
. 관계없는 표기를 하는 경우 결격 처리 될 수 있습니다.
4. 제시된 작성 분량 미 준수 시 감점 처리됨을 유의 바랍니다.

IV. 자연계 논술 실전

1. 각 대학별 논술 유의사항을 파악하라!

많은 대학에서 글자수 제한을 확인하여야 한다. 그래서 원고지 형이 많지만, 문항별 칸을 만들거나 밑줄 답안 형식도 있다. 논술 시험 시간은 각 대학별로 다양하다. 60분 즉, 한 시간을 시작으로 많게는 2시간까지 (120분)까지 다양하게 있다. 대학별로 준비해야 하는 중요한 이유이다. 답안을 작성하는 필기구도 다양하다. 연필(샤프펜)의 사용이 꾸준히 증가하지만 아직까지 검정색 볼펜이나 청색 볼펜으로 사용하는 학교도 많다. 주의할 것은 수정법이다. 수정은 학교에 따라 수정액, 수정테이프의 사용을 제한하는 경우도 있고 틀리면 두줄을 긋고 써야 하는 곳도 있다. 그러므로 각 대학별 특징을 파악하고, 미리 답안 작성 연습은 물론이고 작성할 때도 대학별로 금지하는 내용을 숙지하고 시험장에 가야 한다.

각 대학별 유의사항 사례

사례 1)

가. 답안은 한글로 작성하되, 글자수 제한은 없다.

나. 제목은 쓰지 말고 특별한 표시를 하지 말아야 한다.

다. 제시문 속의 문장을 그대로 쓰지 말아야 한다.

라. 반드시 본 대학교에서 지급한 필기구를 사용하여야 한다.

마. 수정할 부분이 있는 경우 수정도구를 사용하지 말고 원고지 교정법에 의하여 교정하여야 한다.

바. 본 대학교에서 지급한 필기구를 사용하지 않거나, 수정도구를 사용한 경우, 답안지에 특별한 표시를 한 경우, 또는 원고지의 일정분량 이상을 작성하지 않은 경우에는 감점 또는 0점 처리한다.

사례 2)

Ⅰ. 필요한 경우 한 개 또는 여러 개의 제시문을 선택하여 논의를 전개하고, 사용한 제시문은 꼭 참고문헌 형태로 표시하시오.

예) …[제시문 1-4].

예) …되며[제시문 2-4], …의 경우는 ~을 보여준다[제시문 2-1].

Ⅱ. [문제 1]부터 [문제 4]까지 문제 번호를 쓰고 순서대로 답하시오.

Ⅲ. 연필을 사용하지 말고, 흑색이나 청색 필기구를 사용하시오.

Ⅳ. 인적사항과 관련된 표현을 일절 쓰지 마시오.

Ⅴ. 문제당 배점은 동일함.

사례 3)

◇ 각 문제의 답안은 배부된 OMR 답안지에 표시된 문제지 번호에 맞춰 작성하시오.

◇ 각 문제마다 정해진 글자수(분량)는 띄어쓰기를 포함한 것이며, 정해진 분량에 미달하

거나 초과하면 감점 요인이 됩니다.
◇ 답안지의 수험번호는 반드시 컴퓨터용 수성 사인펜으로 표기하시오.
◇ 답안은 검정색 필기구로 작성하시오. (연필 사용 가능)
◇ 답안 수정시 원고지 교정법을 활용하시오. (수정 테이프 또는 연필지우개 사용 가능)
◇ 답안 내용 및 답안지 여백에는 성명, 수험번호 등 개인 신상과 관련된 어떤 내용, 불필요한 기표하면 감점 처리됩니다.

사례 4)
◆ 답안 작성 시 유의사항 ◆
□ 논술고사 시간은 90분이며, 답안의 자수 제한은 없습니다.
□ 1번 문항의 답은 답안지 1면에 작성해야 하고, 2번 문항의 답은 답안지 2면에 작성해야 합니다. 1, 2번을 바꾸어 작성하는 경우 모두 '0점 처리'됩니다.
□ 연습지는 별도로 제공하지 않습니다. 필요한 경우 문제지의 여백을 이용하시기 바랍니다.
□ 답안은 검정색 또는 파란색 펜으로만 작성하며 연필, 샤프는 사용할 수 없습니다.
□ 답안 수정은 수정할 부분에 두 줄로 긋거나 수정테이프(수정액은 사용 불가)를 사용해서 수정합니다.
□ 답안지에는 답 이외에 아무 표시도 해서는 안 됩니다.
□ 답안지 교체는 고사 시작 후 70분까지 가능하며, 그 이후는 교체가 불가합니다.

2. 제시문에 먼저 눈을 두지 말고 문제를 파악하라!!!

대학별 고사인 논술의 어려운 점은 시간의 제한이 있는 글쓰기 시험이라는 것이다. 자유롭게 잘 쓸 수 있는 내용일지라도 시간의 제한이 있으면 얘기가 달라진다. 특히 지금과 같이 각 대학별로 다양하게 등장하는 시험에 익숙하지 않은 수험생에게는 더 큰 부담으로 작용을 한다.

대학에서는 다양하게 제시문과 문제를 분포시킨다. 문제를 등장시키고 제시문이 등장하는 경우, 그림과 도표, 그래프 등과 같이 자료를 제시하고 제시문과 문제를 함께 등장시키는 경우, 제시문을 많이 등장시키고 마지막에 문제를 제시하는 경우 등... 이렇듯 다양한 문제에 시간의 적절한 활용은 대학별 고사의 실전에서는 당락을 결정하는 중요 요소이다.

이러한 실전적 논술에서 핵심은 바로 목적을 가지고 제시문의 읽기가 선행되어야 한다. 글 읽기의 핵심은 문제을 통해 논제를 구체적으로 파악하고 그 논제에 부합하게 제시문을 분석하는 것이다.

① 문제를 먼저 확인하라!! - 제시문을 읽고 문제를 보면 다시 긴 제시문을 또 읽어 시간을 낭비한다.
② 세부 논제 확인하라!! - 한 문제라도 그 문제 속에 다루는 논제는 여러 개가 될 수 있

다. 그 질문 내용을 파악하라. 그리고 요구한 논제에 맞게 글을 구성한다.
③ 전제적 요건 파악하라!! - 각 문제의 전제적 요건 및 글로 표현된 부연 설명 등이 중요한 키워드가 될 수 있다.

V. 홍익대학교 기출

1. 2024학년도 홍익대 수시 논술

[문제 1] [20점]

중심이 원점 O이고, 장축 길이가 6 m, 단축의 길이가 2 m인 타원 모양의 경계를 갖는 꽃밭이 있다. 아래 그림과 같이 타원 위의 네 개의 점 $A(x_1,\ y_1)$,, $B(-x_1,\ y_1)$, $C(-x_1,\ -y_1)$, $D(x_1,\ -y_1)$를 선택하여 이에 외접하는 사각형 모양의 둘레길을 만들려고 한다. 사각형 내부에서 타원 내부를 제외한 나머지 부분을 자투리 공간(아래 그림의 빗금 친 부분)이라 한다. 자투리 공간의 넓이가 최소가 되도록 둘레길을 만들려고 한다.

(가) $x_1 > 0,\ y_1 > 0$이며, 둘레길의 폭은 무시한다. 사각형의 네 꼭짓점은 F, F′, G, G′이다.

(나) 꽃밭의 경계를 나타내는 타원의 방정식은 $\dfrac{x^2}{9}+y^2=1$이다. 꽃밭의 넓이는 $3\pi \text{m}^2$이며, 꽃밭 경계의 폭은 무시한다.

(다) 임의의 실수 $r>0,\ s>0$에 대하여, $\sqrt{rs} \le \dfrac{r+s}{2}$이며 등호는 $r=s$일 때 성립한다.

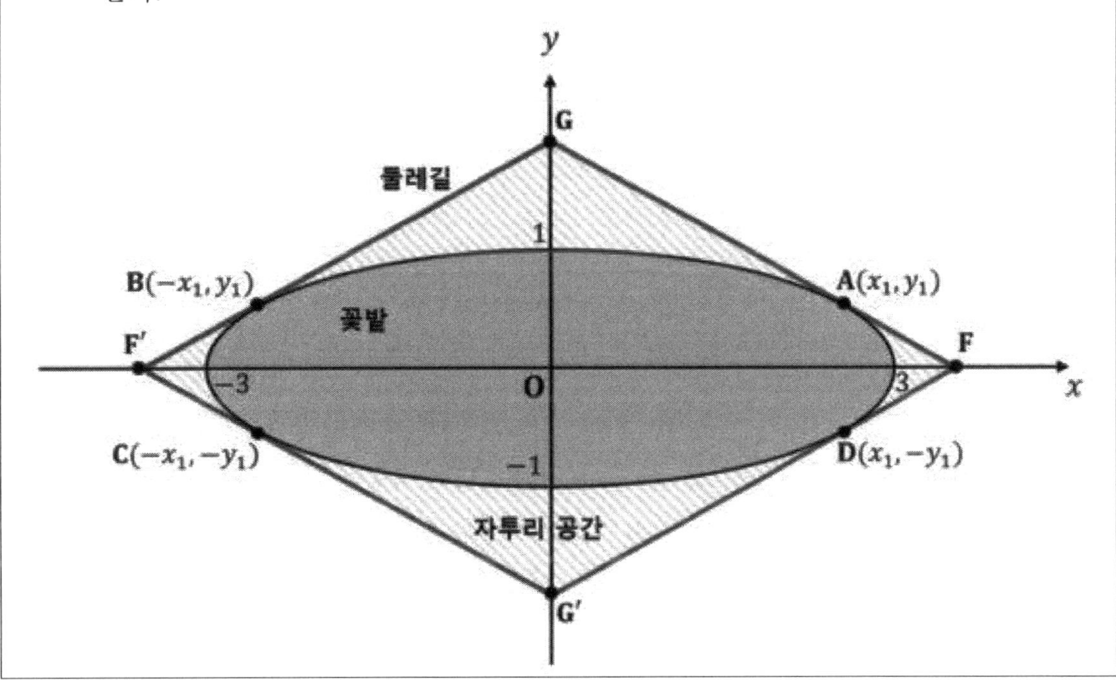

(1) 방정식 $\frac{x^2}{9}+y^2=1$에서 $\frac{dy}{dx}$를 구하시오.

(2) 점 $\mathrm{A}(x_1,\ y_1)$에서의 타원의 접선의 방정식을 $y=cx+d$이라고 하자. 문항 (1)의 결과를 이용하여, c를 x_1과 y_1에 대한 식으로 나타내고, d를 y_1에 대한 식으로 나타내시오. 또한, 이 접선의 x절편을 x_1에 대한 식으로 나타내시오.

(3) 자투리 공간의 넓이가 최솟값을 가질 때 x_1과 y_1을 구하고, 이때 자투리 공간의 넓이를 구하시오.

(4) 문항 (3)과 같이 자투리 공간의 넓이가 최솟값을 가지도록 둘레길을 설치하였다. 이후 점 F와 F′을 초점으로 가지고 점 G와 G′을 지나는 타원 모양의 울타리를 설치하려고 한다. 이 울타리를 나타내는 타원의 방정식을 구하시오. (단, 울타리의 폭은 무시한다.)

[문제 2] [20점]

홍익이는 아빠, 엄마와 함께 다음의 방식으로 주사위 놀이를 한다. 주사위는 정육면체이며, 주사위를 던졌을 때 각 면이 나올 확률은 모두 같다. 세 사람은 각자의 주사위를 가지고 있으며, 주사위의 각 면에는 서로 다른 자연수가 쓰여 있다. 주사위 놀이에서는 두 사람이 자신의 주사위를 동시에 한 번 던져 더 큰 수가 나온 사람이 승리한다. 홍익이, 아빠, 엄마의 주사위에 있는 총 18개의 면에는 모두 다른 자연수가 쓰여 있어 이 놀이에서 무승부는 나오지 않는다. 홍익이와 아빠의 주사위에 쓰인 숫자는 각각 다음과 같다.

- 홍익이의 주사위: 2, 4, 23, 25, 29, 31
- 아빠의 주사위: 5, 7, 11, 13, 35, 37

(1) 홍익이의 주사위를 한 번 던져 나오는 수를 확률변수 X, 아빠의 주사위를 한 번 던져 나오는 수를 확률변수 Y라 하자. X와 Y의 기댓값 $\mathrm{E}(X)$와 $\mathrm{E}(Y)$를 구하시오.

(2) 홍익이와 아빠가 주사위 놀이를 한다면 둘 중 누가 더 유리한지 설명하시오.

(3) 홍익이와 아빠는 매일 한 번씩 총 405일간 주사위 놀이를 하였다. 홍익이가 승리한 날이 총 200일 이상이 될 확률을 아래의 표준정규분포표를 사용하여 구하시오.

z	$\mathrm{P}(0 \le Z \le z)$
0.5	0.1915
1.0	0.3413
2.0	0.4772
3.0	0.4987

(4) 엄마의 주사위는 각 면의 자연수를 엄마가 임의로 선택하여 만들 수 있다. 단, 제시문의 설명과 같이, 홍익이, 아빠, 엄마의 주사위에 있는 총 18개의 면에는 모두 다른 자연수가 쓰여야 한다. 엄마는 이 주사위를 홍익이와 주사위 놀이를 할 때 사용하고, 같은 주사위를 아빠와 주사위 놀이를 할 때도 사용한다. 엄마가 홍익이와 주사위 놀이를 하여 엄마가 승리할 확률을 p_1이라 하고, 엄마가 아빠와 주사위 놀이를 하여 엄마가 승리할 확률을 p_2라 하자. 엄마가 $p_1 - p_2$가 최대가 되도록 주사위 각 면의 자연수를 선택한다고 할 때, $p_1 - p_2$의 최댓값은 무엇인지 설명하시오.

[문제 3]

홍익이는 <그림1>과 같이 반지름이 R_0 cm이고 두께가 없는 구 모양의 특수 풍선을 제작하여 풍선 속에 물을 가득 담았다. 물풍선은 비어있는 원뿔 모양의 그릇(이하 원뿔그릇) 안에 놓이 고, 원뿔그릇 옆면에 접한다. 이때 물풍선의 중심과 원뿔그릇 꼭짓점 사이의 거리는 $3R_0$ cm이다. 물풍선 밑에는 작은 구멍이 있어서 풍선이 수축하며 이 구멍으로 물이 빠져나간다. t초 후 빠져나간 물의 부피는 $V(t)=\frac{\pi}{3}t\ \text{cm}^3$이다. 빠져나간 물은 <그림2>와 같이 원뿔그릇의 아 래부터 즉시 채워지며, 물이 떨어지는 데 걸리는 시간은 무시한다. 물이 빠져나간 만큼 부피가 줄어드는 물풍선은 항상 구 모양을 유지하며 원뿔그릇 옆면에 접하고, 물풍선의 반지름은 R이 라 한다. <그림2(a)>부터 <그림3(b)>까지에 대한 설명은 아래와 같다.

- <그림2(a)> 시각 $t(0<t<t_1)$에, 물풍선 구멍을 통해 빠져나간 물이 원뿔그릇에 고여 원뿔 모양을 이룬다.

<그림2(b)> 시간이 지남에 따라 빠져나간 물이 이루는 원뿔의 밑면과 물풍선은 서로 접한 다. <그림2(c)> 이후 물풍선의 일부가 빠져나간 물에 잠긴다. 물풍선이 빠져나간 물에 잠긴 후에도 물풍선에서 물은 계속 빠져나간다.

- <그림3(a)> 시각 t_1은 빠져나간 물이 원뿔그릇과 이에 접하는 물풍선 사이의 공간을 모두 채우는 순간이다. 이때 물풍선의 반지름은 R_1이다.

<그림3(b)>는 시각 t_1에서 물풍선이 빠져나간 물에 잠긴 부분을 나타낸다. 물풍선의 중심 O에서 원뿔그릇의 꼭짓점을 지나는 선분 위의 한 점 P에 대하여 $\overline{\text{OP}}=x$라 하자. 이때 점 P를 지나고 원뿔그릇의 밑면에 평행인 평면으로 물풍선을 자른 단면의 넓이를 $S(x)$라 하자.

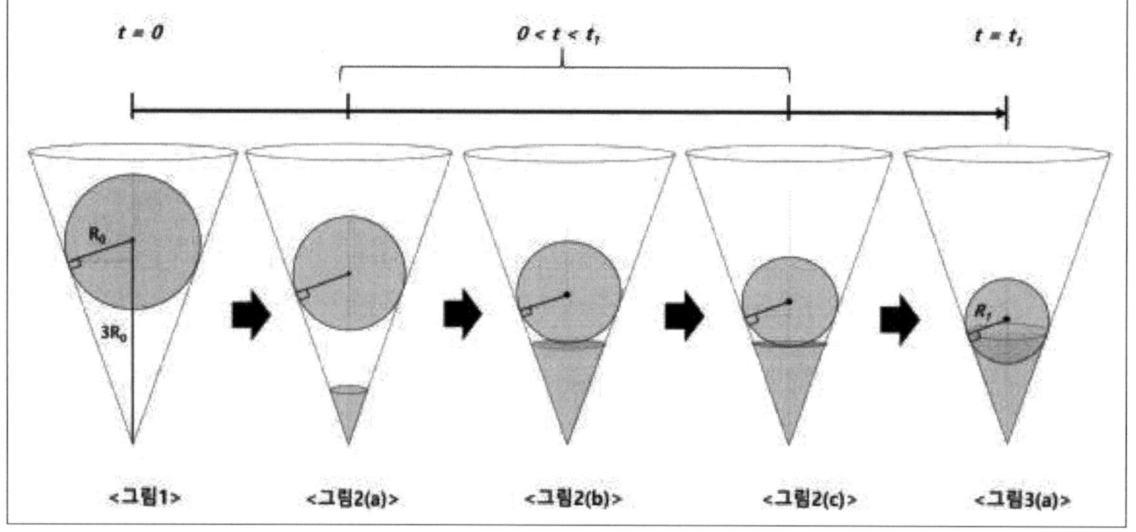

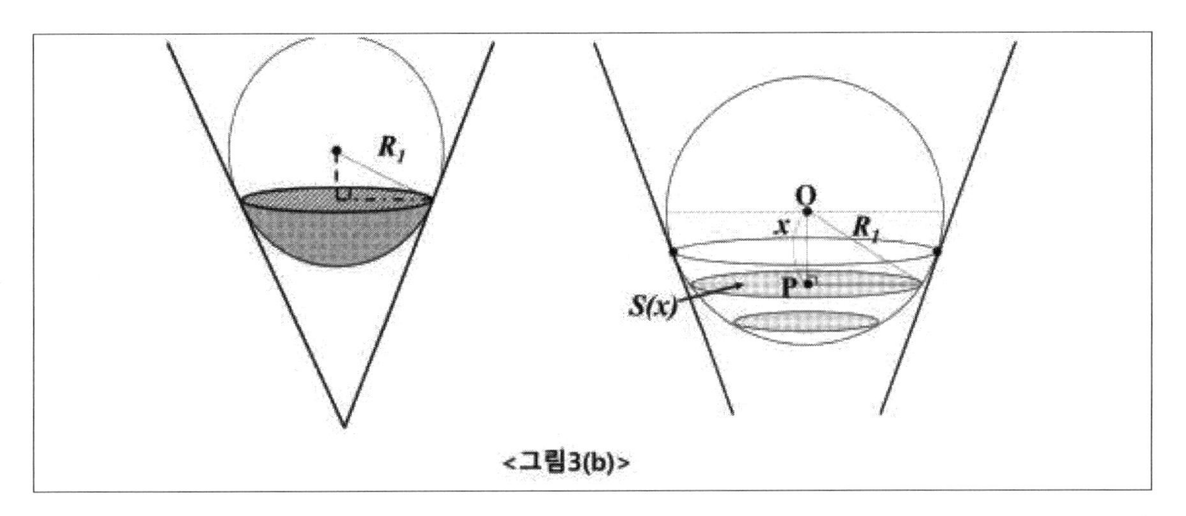

<그림3(b)>

(1) 시각 t에서 물풍선의 반지름 R을 R_0과 t에 대한 식으로 나타내시오. $(0 \le t \le t_1)$

(2) $S(x)$를 R_1과 x의 식으로 표현하시오.

(3) 시각 t_1에서 빠져나간 물에 잠긴 물풍선 부분의 부피를 R_1에 대한 식으로 나타내시오.

(4) $R_0 = 5$일 때, 시각 t_1를 구하시오.

논술답안지 (자연계열)

※시감교수 확인란 (수험생은 표기 하지말 것.)	
결시자는 시감교수가 수험번호와 결시자 표기란을 반드시 컴퓨터용 사인펜으로 표기하시오.	결시자표기 ○
시감교수 확인	㊞

수험생기재란
지원학부(과)
성 명

가번호	
A	Ⓐ
C	Ⓒ
	⓪ ① ② ③ ④ ⑤ ⑥ ⑦ ⑧ ⑨
	⓪ ① ② ③ ④ ⑤ ⑥ ⑦ ⑧ ⑨
	⓪ ① ② ③ ④ ⑤ ⑥ ⑦ ⑧ ⑨
	⓪ ① ② ③ ④ ⑤ ⑥ ⑦ ⑧ ⑨
	⓪ ① ② ③ ④ ⑤ ⑥ ⑦ ⑧ ⑨
	⓪ ① ② ③ ④ ⑤ ⑥ ⑦ ⑧ ⑨

1차 채점	⑳ ⑲ ⑱ ⑰ ⑯ ⑮ ⑭ ⑬ ⑫ ⑪ ⑩ ⑨ ⑧ ⑦ ⑥ ⑤ ④ ③ ② ① ⓪	채점교수	(인)	비고	

2차 채점	⑳ ⑲ ⑱ ⑰ ⑯ ⑮ ⑭ ⑬ ⑫ ⑪ ⑩ ⑨ ⑧ ⑦ ⑥ ⑤ ④ ③ ② ① ⓪	채점교수	(인)	비고	

문제번호	1 번	❶ ② ③

※반드시 1번 문제의 답안만 작성하시오.

유의사항
1. '가번호'란은 반드시 컴퓨터용 사인펜으로 표기하시오.
2. '채점란'에 표기하지 마시오.

앞면에서 계속

정선 아래는 답안 작성을 하지 말 것.

논술답안지 (자연계열)

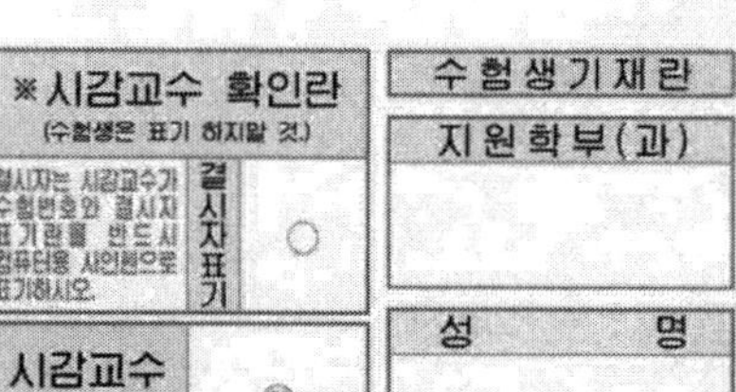

수험생기재란

지원학부(과)

성 명

가번호

A	Ⓐ
C	Ⓒ

1차 채점	⑳ ⑲ ⑱ ⑰ ⑯ ⑮ ⑭ ⑬ ⑫ ⑪ ⑩ ⑨ ⑧ ⑦ ⑥ ⑤ ④ ③ ② ① ⓪	채점교수	(인)	비고	

2차 채점	⑳ ⑲ ⑱ ⑰ ⑯ ⑮ ⑭ ⑬ ⑫ ⑪ ⑩ ⑨ ⑧ ⑦ ⑥ ⑤ ④ ③ ② ① ⓪	채점교수	(인)	비고	

문제번호	2 번	① ❷ ③

※반드시 2번 문제의 답안만 작성하시오.

유의사항

1. '가번호'란은 반드시 컴퓨터용 사인펜으로 표기하시오.
2. '채점란'에 표기하지 마시오.

앞면에서 계속

점선 아래는 답안 작성을 하지 말 것.

논술답안지 (자연계열)

※시감교수 확인란
(수험생은 표기 하지말 것.)

결시자는 시감교수가 수험번호와 결시자 표기란을 반드시 컴퓨터용 사인펜으로 표기하시오.

결시자표기 ○

시감교수 확인 ㊞

수험생기재란

지원학부(과)

성 명

가번호	
A	Ⓐ
C	Ⓒ
	⓪ ① ② ③ ④ ⑤ ⑥ ⑦ ⑧ ⑨
	⓪ ① ② ③ ④ ⑤ ⑥ ⑦ ⑧ ⑨
	⓪ ① ② ③ ④ ⑤ ⑥ ⑦ ⑧ ⑨
	⓪ ① ② ③ ④ ⑤ ⑥ ⑦ ⑧ ⑨
	⓪ ① ② ③ ④ ⑤ ⑥ ⑦ ⑧ ⑨
	⓪ ① ② ③ ④ ⑤ ⑥ ⑦ ⑧ ⑨

1차 채점	⑳ ⑲ ⑱ ⑰ ⑯ ⑮ ⑭ ⑬ ⑫ ⑪ ⑩ ⑨ ⑧ ⑦ ⑥ ⑤ ④ ③ ② ① ⓪	채점교수	(인)	비고	

2차 채점	⑳ ⑲ ⑱ ⑰ ⑯ ⑮ ⑭ ⑬ ⑫ ⑪ ⑩ ⑨ ⑧ ⑦ ⑥ ⑤ ④ ③ ② ① ⓪	채점교수	(인)	비고	

문제번호	3 번	① ② ❸

※반드시 3번 문제의 답안만 작성하시오.

유의사항
1. '가번호'란은 반드시 컴퓨터용 사인펜으로 표기하시오.
2. '채점란'에 표기하지 마시오.

앞면에서 계속

점선 아래는 답안 작성을 하지 말 것.

2. 2023학년도 홍익대 수시 논술 (오전)

[문제 1]　[20점]

정사각형 종이의 한 변이 중심점 O와 접하도록 여러 번 접었다 펴면, 접힌 자국이 없는 영 역과 그 경계를 이루는 곡선이 생긴다(<그림 1>).정사각형 종이의 변 ℓ_1이 중심점 O와 접하도 록 접고 ℓ_1위의 점 O에서 ℓ_1에 수직인 직선 ℓ_2를 그으면, 직선 ℓ_2와 접힌 선 ℓ_3이 만나는 점 P가 경계 곡선 위의 점이 되는 것이 알려져 있다(<그림 2>)

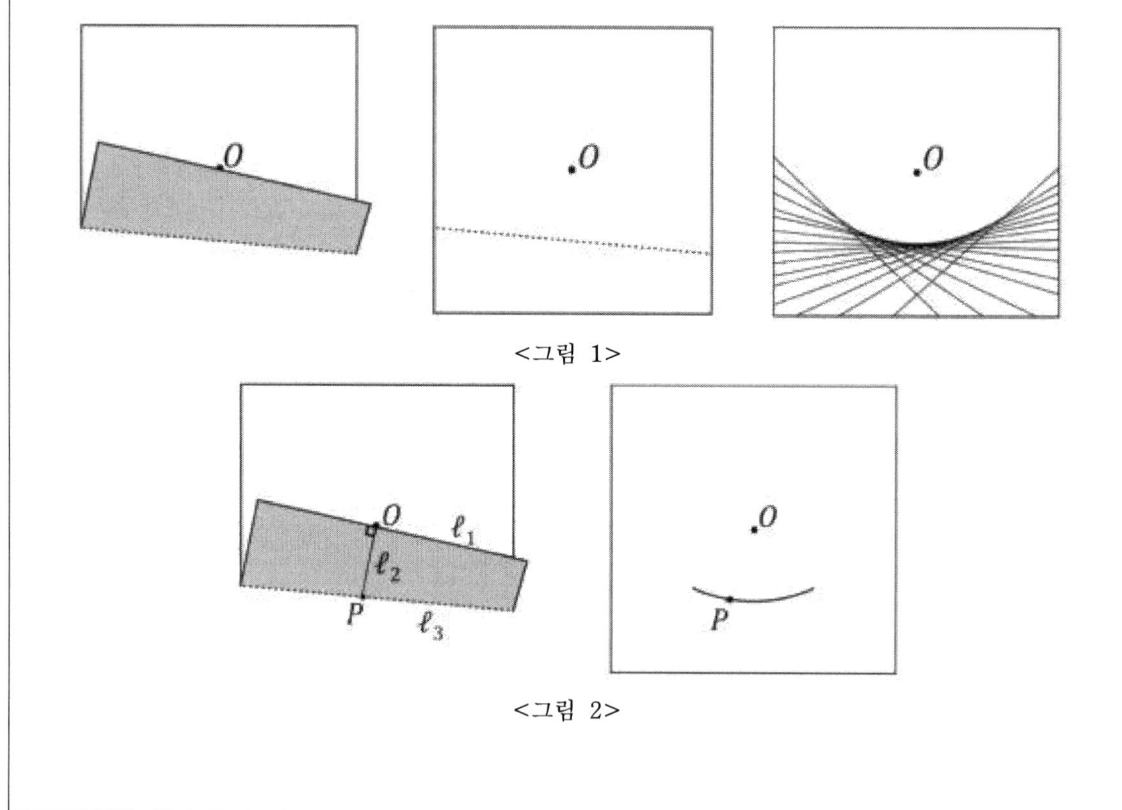

<그림 1>

<그림 2>

(1) 중심점 O를 좌표평면의 원점에 두고 직선 $y=-1$에 변을 가지는 종이의 아래쪽을 <그림 1>과 같은 방법으로 접어서 얻는 곡선이 포물선이 되는 이유를 설명하고, 이 포물선의 준선과 초점을 구하시오.

(2) 중심점 O를 좌표평면의 원점에 두고 직선 $x=1$, $x=-1$, $y=1$, $y=-1$에 네 변을 가지는 정사각형 모양 종이에서, 네 변 각각에 대해 제시문과 같은 방법으로 곡선을 만들었을 때 곡선에 해당하는 식을 모두 구하시오.

(3) 문항 (2)에서 접힌 자국이 없는 영역 R가 아래의 그림과 같이 생성될 때, 이 영역의 넓이를 구하시오.

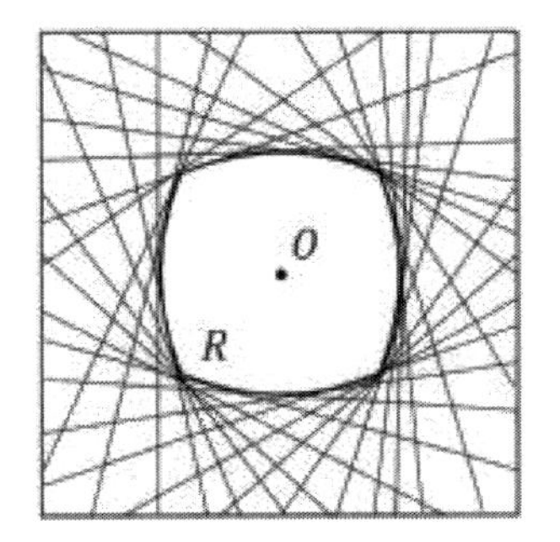
O
R

[문제 2]　[20점]

디지털 통신에서 송신기가 1비트(bit) 0 또는 1을 전송하는 상황을 생각하자. 송신기가 1을 보내었어도 다른 신호에 의한 간섭 때문에 수신기는 0을 받을 수도 있다. 또는, 송신기가 0을 보내었어도 수신기는 1을 받을 수 있다.

이러한 간섭의 효과를 줄이기 위해 현대 통신에서 송신기는 하나의 비트를 한 번 보내는 대신 동일한 비트를 연속으로 n번(이때 n은 홀수인 자연수) 반복하여 보낸다. 이러한 반복을 통해 간섭에 의한 최종 오류를 줄일 수 있는데, 이를 n-반복 코드(n-repetition code)라고 한다. 수신기에서 받은 n개의 비트들을 기준으로 송신기가 보낸 비트가 무엇인지를 결정하게 되며, 이때 수신기는 더 많이 받은 비트를 송신기가 보내었다고 결정한다.

예시: $n=5$인 5-반복 코드의 경우, 1을 보내는 대신, 송신기는 1을 5개 붙여서 11111을 송신한다. 이때, 간섭에 의해 각각의 비트는 변화할 수 있다. 수신기가 10011을 받았다면 0이 두 개이고 1이 세 개이므로 수신기는 송신기가 보낸 비트는 1이라고 최종결정한다. 혹은, 수신기가 10000을 받았다면 수신기는 송신기가 보낸 비트가 0이라고 최종결정하게 된다. 이처럼 수신기가 최종결정한 비트가 송신기가 보낸 비트와 서로 다른 경우 "최종결정오류"가 발생했다고 하자.

아래와 같은 가정을 하자, n-반복 코드 내에서 각각의 비트는 독립적으로 간섭에 노출되어 바뀌고 그 확률은 p이다.

즉,

- 0을 보낼 때, 간섭에 의해 수신기가 1을 받을 확률은 p이다.
- 1을 보낼 때, 간섭에 의해 수신기가 0을 받을 확률은 p이다.
- 간섭에 의한 영향을 받지 않아 0또는 1이 바뀌지 않고 수신기가 그대로 받을 확률은 $1-p$이다.

(1) 보통의 경우, 각각의 비트가 간섭에 의해 바뀔 확률 p를 0.1이라 하자. 이때, 3-반복 코드 수신기의 최종결정 비트와 송신기가 보낸 비트가 서로 달라 최종결정오류가 발생할 확률을 구하시오.

(2) 갑작스런 태양의 활동으로 각각의 비트가 바뀔 확률 p가 0.1에서 0.2로 늘어났다고 하자. 이때, 동일하게 구성된 3-반복 코드 수신기의 최종결정오류 확률을 구하시오. 그리고, 이 값이 문항 (1)에서 구한 확률의 몇 배인지 소수점 둘째 자리에서 반올림하여 구하시오.

(3) 문항 (2)와 같이 태양 활동이 활발한 경우 ($p=0.2$), 수신기의 최종결정오류를 줄이

기 위해 송신기의 비트를 m번 반복하는 m-반복 코드를 설계하려고 한다. 단, m-반복 코드 수신기의 최종결정오류 확률값이, 문항 (1)에서 구한 $p=0.1$일 때의 3-반복 코드의 최종결정오류 확률값보다 더 작도록 설계하고 싶다. 필요한 m의 최솟값을 아래의 표를 참고하여 구하시오.

$2^{10}=1024$	$2^{11}=2048$	$2^{12}=4096$	$2^{13}=8192$	$2^{14}=16384$
$2^{15}=32768$	$2^{16}=65536$	$2^{17}=131072$	$2^{18}=262144$	$2^{19}=524288$
$63\times2^{18}=16515072$	$21\times2^{17}=2752512$	$9\times2^{17}=1179648$	$9\times2^{15}=294912$	$35\times2^{13}=286720$

[문제 3] [20점]

(가) 홍익이는 컴퓨터 화면에 그려진 함수의 그래프를 보고, 확대하면 작은 픽셀들로 그림이 그려지는 것을 확인하였다. 곡선을 그리는 픽셀들을 보고, 픽셀의 개수를 셈으로써 곡선의 길이, 그리고 곡선으로 둘러싸인 영역의 넓이를 구할 수 있는지 궁금하였다.

픽셀들을 더 작게 하여 촘촘하게 하면서, 해당되는 픽셀의 개수와 픽셀의 넓이의 곱, 또는 해당되는 픽셀의 개수와 픽셀의 한 변의 길이의 곱 등의 극한을 취하면 영역의 넓이 또는 곡선의 길이와 관련이 있으리라 예상하였고, 아래 (나)와 같은 설정으로 시작하여 수식으로 확인하고자 하였다.

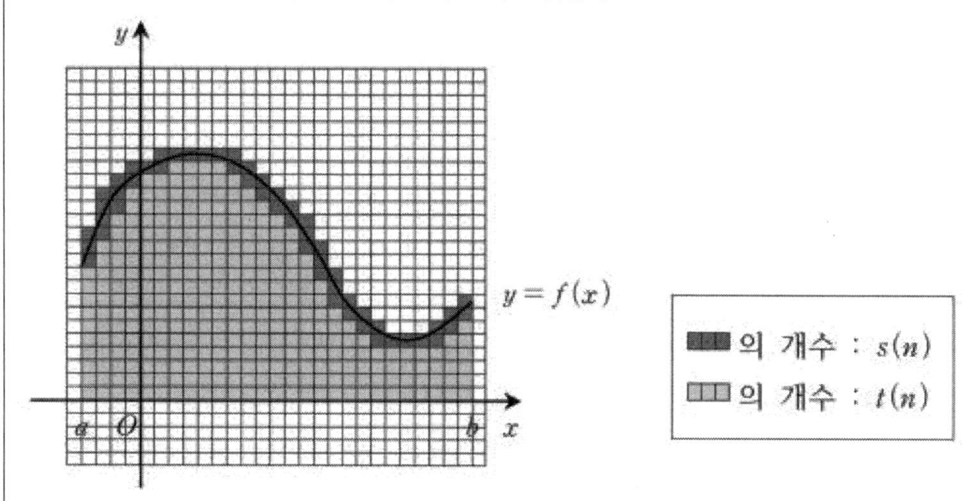

(나) 자연수 n에 대해, 좌표평면을 한 변의 길이가 $\frac{1}{n}$인 정사각형으로 이루어진 모눈종이(격자)로 생각하자. 이때 x축과 y축을 모눈의 경계선 중에 포함한다. 여기에서는, 각 정사각형 영역은 <u>옆쪽과 아래쪽 경계선은 포함하고 위쪽 경계선은 포함하지 않는다고 하자.</u> 또한, 정사각형 영역이 곡선의 점을 하나라도 포함하는 경우 그 곡선을 만난다고 하자. 구간 $[a, b]$에서 정의되는 음이 아닌 값을 갖는 연속 함수 $f(x)$에 대해, $y=f(x)$의 그래프 곡선과 만나는 정사각형들의 개수를 $s(n)$이라 하고, x축과 곡선 사이에서 x축과는 만나도 되지만 그래프 곡선과는 만나지 않는 정사각형들의 개수를 $t(n)$이라 하자. 단, a, b는 정수만 고려하고, 구간 $[a, b]$를 넘어서는 정사각형은 고려하지 않는다.

예를 들어, 아래의 그림과 같이 구간 $[0, 1]$에서의 함수 $f(x)=x$에 대해, $s(2)=4$, $t(2)=1$이고, $s(3)=6$, $t(3)=3$이다.

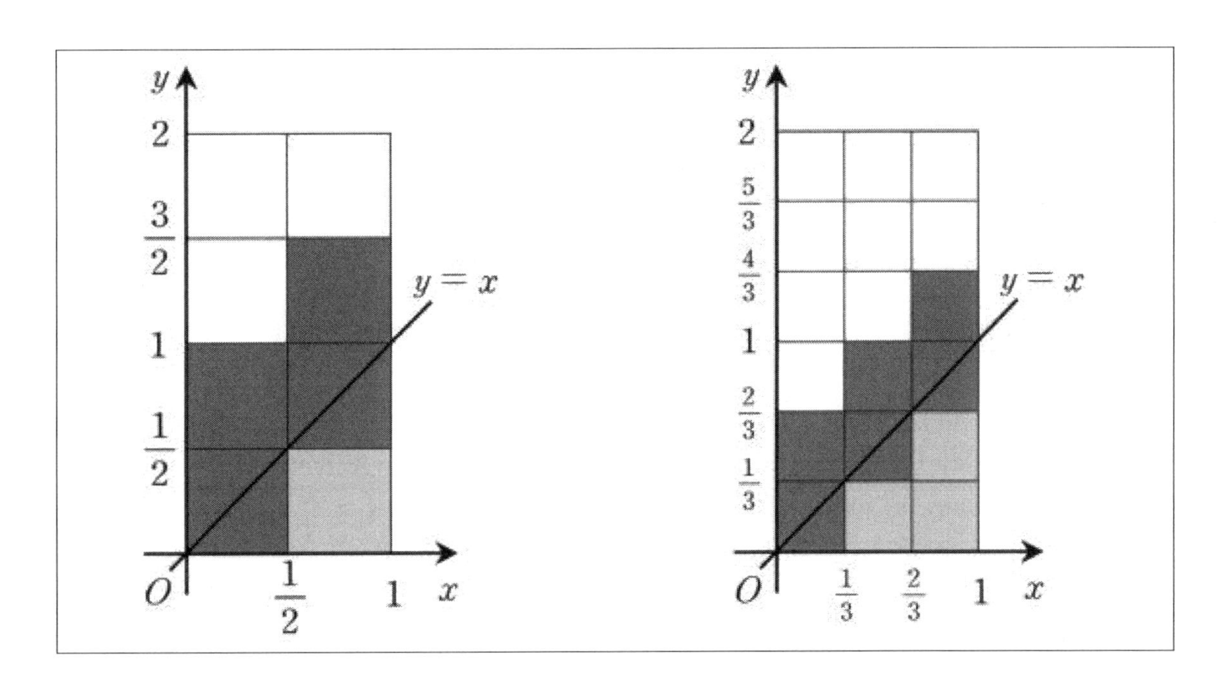

(1) 실수 c에 대해 가우스 기호 $[c]$는 c를 넘지 않는 최대 정수를 나타낸다. 즉 c에 대해 $m \le c < m+1$인 정수 m이 $[c]$의 값이다. 임의의 실수 c에 대해, 분모가 자연수 n이고 분자가 정수인 분수 중에서 c를 넘지 않는 가장 큰 분수를 가우스 기호를 이용하여 표시하시오.

(2) 닫힌 구간 $[a, b]$를 길이 $\frac{1}{n}$인 구간들로 분할하였을 때, k번째 구간에서의 $f(x)$의 최솟값을 m_k, 최댓값을 M_k라 하자. $s(n)$과 $t(n)$의 식을 가우스 기호와 $\sum$기호를 이용하여 나타내시오.

(3) 구간 $[0, 3]$에서 정의된 함수 $f(x)$의 식이 다음과 같다고 한다.

$$f(x)=\begin{cases} 2x & (0 \le x < 1) \\ -\frac{1}{2}(x-1)+2=-\frac{x}{2}+\frac{5}{2} & (1 \le x \le 3) \end{cases}$$

주어진 $f(x)$에 대하여 $s(n)$와 $t(n)$을 자연수 n에 관한 다항식으로 나타내시오.

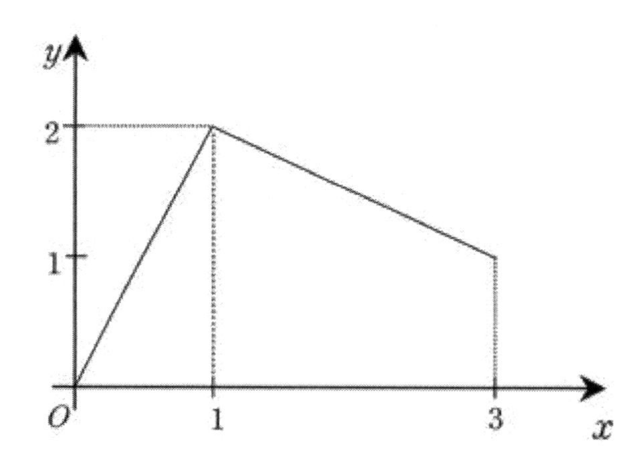

(4) 문항 (3)의 $f(x)$와 이에 대한 $s(n)$, $t(n)$에 대하여 $\lim_{n\to\infty}\frac{s(n)}{n^2}$, $\lim_{n\to\infty}\frac{t(n)}{n^2}$, $\lim_{n\to\infty}\frac{s(n)}{n}$을 구하시오. 이 중에서 문항 (3)의 $y=f(x)$의 그래프와 x축 사이 영역의 넓이와 같은 것은 무엇인가? $\lim_{n\to\infty}\frac{s(n)}{n}$은 $y=f(x)$의 그래프의 길이를 나타내는가?

논술답안지 (자연계열)

※시감교수 확인란 (수험생은 표기 하지말 것)	
결시자는 시감교수가 수험번호와 결시자 표기란을 반드시 컴퓨터용 사인펜으로 표기하시오.	결시자표기 ○
시감교수 확인	㊞

수험생기재란
지원학부(과)
성 명

가번호		
A	Ⓐ	
C	Ⓒ	
		⓪ ① ② ③ ④ ⑤ ⑥ ⑦ ⑧ ⑨
		⓪ ① ② ③ ④ ⑤ ⑥ ⑦ ⑧ ⑨
		⓪ ① ② ③ ④ ⑤ ⑥ ⑦ ⑧ ⑨
		⓪ ① ② ③ ④ ⑤ ⑥ ⑦ ⑧ ⑨
		⓪ ① ② ③ ④ ⑤ ⑥ ⑦ ⑧ ⑨
		⓪ ① ② ③ ④ ⑤ ⑥ ⑦ ⑧ ⑨

1차 채점	⑳ ⑲ ⑱ ⑰ ⑯ ⑮ ⑭ ⑬ ⑫ ⑪ ⑩ ⑨ ⑧ ⑦ ⑥ ⑤ ④ ③ ② ① ⓪	채점교수	(인)	비고	

2차 채점	⑳ ⑲ ⑱ ⑰ ⑯ ⑮ ⑭ ⑬ ⑫ ⑪ ⑩ ⑨ ⑧ ⑦ ⑥ ⑤ ④ ③ ② ① ⓪	채점교수	(인)	비고	

문제번호	1 번	❶ ② ③

※반드시 1번 문제의 답안만 작성하시오.

유의사항

1. '가번호'란은 반드시 컴퓨터용 사인펜으로 표기하시오.
2. '채점란'에 표기하지 마시오.

산업과 예술의 만남 홍익대학교

앞면에서 계속

점선 아래는 답안 작성을 하지 말 것.

논술답안지 (자연계열)

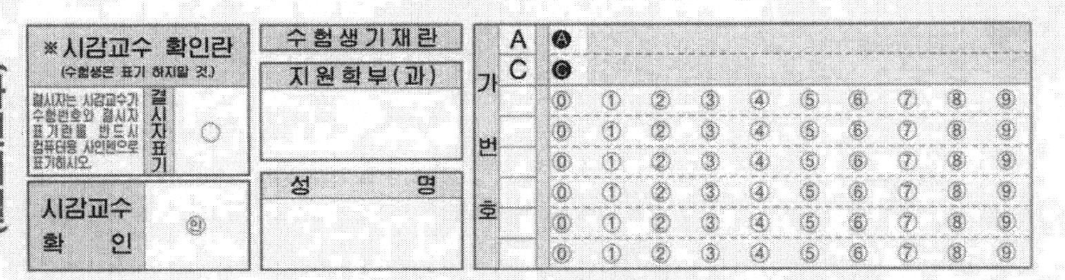

1차 채점	⑳ ⑲ ⑱ ⑰ ⑯ ⑮ ⑭ ⑬ ⑫ ⑪ ⑩ ⑨ ⑧ ⑦ ⑥ ⑤ ④ ③ ② ① ⓪	채점교수	(인)	비고	

2차 채점	⑳ ⑲ ⑱ ⑰ ⑯ ⑮ ⑭ ⑬ ⑫ ⑪ ⑩ ⑨ ⑧ ⑦ ⑥ ⑤ ④ ③ ② ① ⓪	채점교수	(인)	비고	

문제번호	2 번	① ❷ ③

※반드시 2번 문제의 답안만 작성하시오.

유의사항
1. '가번호'란은 반드시 컴퓨터용 사인펜으로 표기하시오.
2. '채점란'에 표기하지 마시오.

앞면에서 계속

점선 아래는 답안 작성을 하지 말 것.

논술답안지 (자연계열)

※시감교수 확인란 (수험생은 표기 하지말 것.)		
결시자는 시감교수가 수험번호와 결시자 표기란을 반드시 컴퓨터용 사인펜으로 표기하시오.	결시자표기	○
시감교수 확인		㉞

수험생기재란
지원학부(과)
성 명

가번호	A	❹
	C	❸
		⓪ ① ② ③ ④ ⑤ ⑥ ⑦ ⑧ ⑨
		⓪ ① ② ③ ④ ⑤ ⑥ ⑦ ⑧ ⑨
		⓪ ① ② ③ ④ ⑤ ⑥ ⑦ ⑧ ⑨
		⓪ ① ② ③ ④ ⑤ ⑥ ⑦ ⑧ ⑨
		⓪ ① ② ③ ④ ⑤ ⑥ ⑦ ⑧ ⑨
		⓪ ① ② ③ ④ ⑤ ⑥ ⑦ ⑧ ⑨

1차 채점	⑳ ⑲ ⑱ ⑰ ⑯ ⑮ ⑭ ⑬ ⑫ ⑪ ⑩ ⑨ ⑧ ⑦ ⑥ ⑤ ④ ③ ② ① ⓪	채점교수	(인)	비고	

2차 채점	⑳ ⑲ ⑱ ⑰ ⑯ ⑮ ⑭ ⑬ ⑫ ⑪ ⑩ ⑨ ⑧ ⑦ ⑥ ⑤ ④ ③ ② ① ⓪	채점교수	(인)	비고	

문제번호	3 번	① ② ❸

※반드시 3번 문제의 답안만 작성하시오.

유의사항

1. '가번호'란은 반드시 컴퓨터용 사인펜으로 표기하시오.
2. '채점란'에 표기하지 마시오.

앞면에서 계속

점선 아래는 답안 작성을 하지 말 것.

3. 2023학년도 홍익대 수시 논술 (오후)

[문제 1] [20점]

홍익대학교에는 문헌관, 공학관, 와우관, 홍문관이라 부르는 네 건물이 있다. 학생들의 편의를 위해 <그림 1>과 같이 캠퍼스를 원형으로 순환하는 트램을 설치하고자 한다. 트램 노선에서 건물까지의 거리를 고려하여 트램 노선의 반지름 r를 정하고자 한다. (단, 트램 노선의 너비와 건물의 크기는 무시한다.)

(가) 원점 O에 대한 네 건물의 위치벡터는 각각 다음과 같다.

$$\overrightarrow{x_1}=(4,\ 4),\ \overrightarrow{x_2}=(5,\ 0),\ \overrightarrow{x_3}=(2,\ 3),\ \overrightarrow{x_4}=(1,\ 1)$$

(나) 트램의 노선은 반지름이 r인 원 모양이며, 원점 O에 대한 그 원의 중심의 위치벡터 $\vec{c}$는 다음과 같다.

$$\vec{c}=\frac{1}{4}\left(\overrightarrow{x_1}+\overrightarrow{x_2}+\overrightarrow{x_3}+\overrightarrow{x_4}\right)$$

(다) 각 건물의 위치로부터 트램 노선까지의 최단 거리를 각각 d_1, d_2, d_3, d_4라고 하자.

(라) 각 건물의 위치로부터 트램 노선까지의 최단 거리의 제곱의 합 S_4를 $d_1^2+d_2^2+d_3^2+d_4^2$으로 정의하자.

(마) 각 건물의 위치로부터 트램 노선까지의 최단 거리 중 최대 거리 M_4를 d_1, d_2, d_3, d_4중 최댓값으로 정의하자.

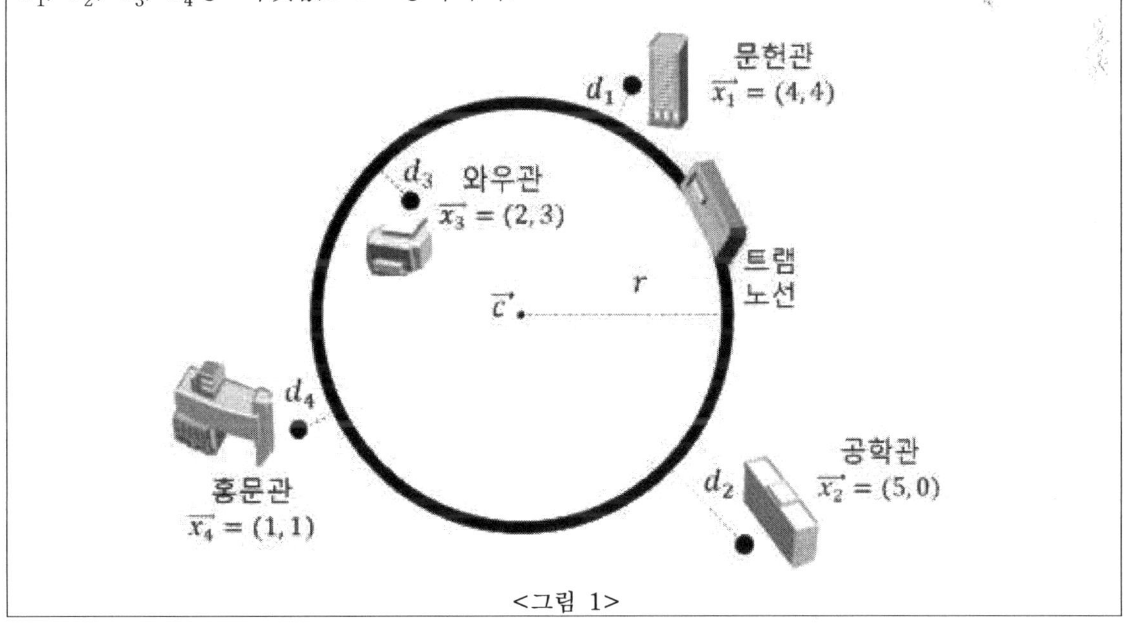

<그림 1>

(1) 제시문의 (라)에서 정의된 S_4가 최솟값을 가질 때 반지름 r를 구하시오.

(2) 제시문의 (마)에서 정의된 M_4가 최솟값을 가질 때 반지름 r를 구하시오.

(3) 건물이 n개가 있다고 가정하고 제시문과 같이 원 모양의 트램 노선을 설치하려고 한다. 각 건물의 위치벡터 $\overrightarrow{x_1}$, $\overrightarrow{x_2}$, $\overrightarrow{x_3}$, …, $\overrightarrow{x_n}$과 트램 노선의 중심의 위치벡터 $\vec{c}=\frac{1}{n}\sum_{i=1}^{n}\overrightarrow{x_i}$가 주어졌을 때, 각 건물의 위치로부터 트램 노선까지의 최단 거리의 제곱의 합 $S_n=\sum_{i=1}^{n}d_i^2$이 최솟값을 가질 때 반지름 r를 $\overrightarrow{x_1}$, $\overrightarrow{x_2}$, $\overrightarrow{x_3}$, …, $\overrightarrow{x_n}$과 $\vec{c}$에 대한 식으로 나타내시오.

[문제 2] [20점]

홍익이는 낙하산을 이용하여 우주발사체의 추진체를 재활용하는 기술을 접하였고, 머리와 추진체로 분리되는 물 로켓을 만들고 추진체를 재활용하고자 추진체에 낙하산을 설치하였다. 그리고 $t=0$초에서 물 로켓을 지면으로부터 수직 방향으로 발사하였다. 시각 t에서의 지면으로부터 물 로켓 추진체 밑면의 높이를 $y_1(t)$m, 물 로켓 머리의 높이를 $y_2(t)$m라 하자. 〈그림 1〉과 같이 발사 후 $t=6$까지 물 로켓은 머리와 추진체가 같이 움직이고, $t=6$에서 물 분사를 멈추고 머리와 추진체로 분리된다. 〈그림 2〉와 같이 추진체는 $t=9$에서 최고 높이에 도달하고 낙하산이 펴진다. 낙하산에 의하여 $t=12$까지 추진체의 속도가 시간에 따라 변한다. 그 후 착륙할 때까지의 속도는 일정하다. $t=t_2$에서 추진체는 지면에 착륙한다. 〈그림 3〉과 같이 물 로켓 머리의 속도는 $t=6$이후 일정하다가 $t=t_1$에서 예상치 못한 돌풍이 발생하여 시간에 따라 변한다. 이를 정리하면, 시각 t에서의 물 로켓 추진체의 속도 $v_1(t)$m/s와 물 로켓 머리의 속도 $v_2(t)$m/s는 다음과 같다. (단, $y_1(0)=0$, $y_2(0)=10$이다.)

$$v_1(t)=\begin{cases} 20t-\dfrac{5}{2}t^2 & (0\le t<6) \\ 90-10t & (6\le t<9) \\ -10+\dfrac{10}{27}(12-t)^3 & (9\le t<12) \\ -10 & (12\le t\le t_2) \end{cases}$$

$$v_2(t)=\begin{cases} 20t-\dfrac{5}{2}t^2 & (0\le t<6) \\ 30 & (6\le t<t_1) \\ \dfrac{30}{t_2-t_1}(t_2-t) & (t_1\le t\le t_2) \end{cases}$$

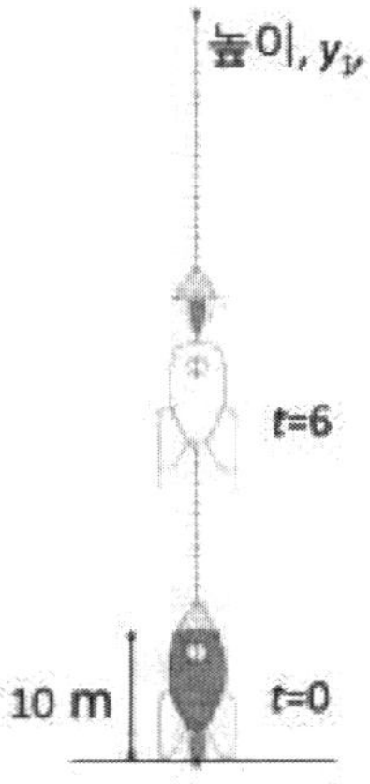

높이, y_1, y_2 (m)
10 m
$t=0$
$t=6$

〈그림 1〉

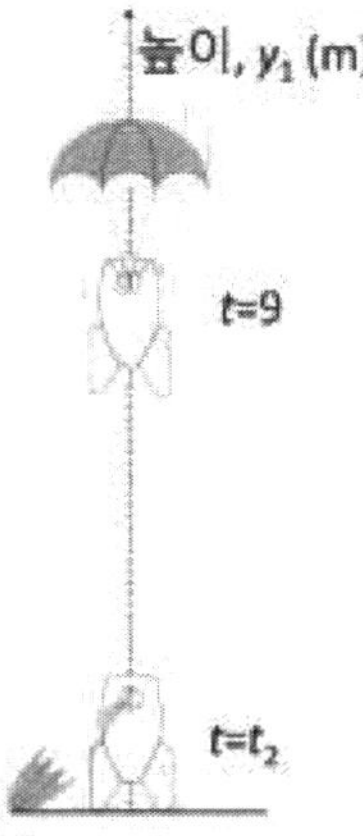

높이, y_1 (m)
$t=9$
$t=t_2$

〈그림 2〉

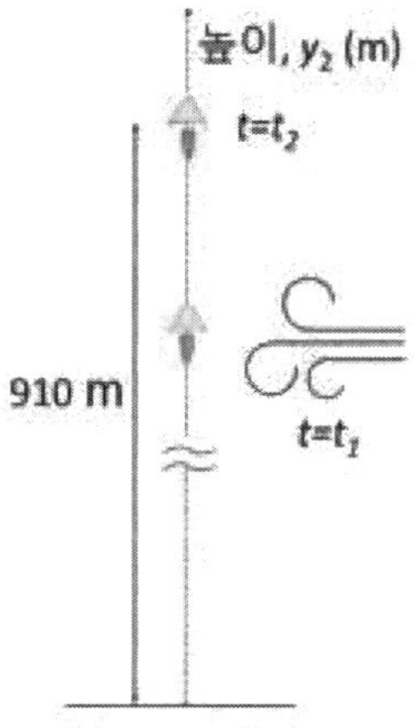

높이, y_2 (m)
$t=t_2$
910 m
$t=t_1$

〈그림 3〉

(1) $t=6$에서 물 로켓이 머리와 추진체로 분리될 때, 머리의 높이 $y_2(6)$의 값을 구하시

오.

(2) $t = 12$에서 추진체 밑면의 높이 $y_1(12)$의 값을 구하시오.

(3) 추진체가 착륙한 시각 $t = t_2$에서 머리의 높이가 $y_2(t_2) = 910\ \mathrm{m}$일 때, 돌풍이 발생한 시각 t_1을 구하시오.

[문제 3] [20점]

(가) 홍익이는 등교하기 위하여 집 앞 버스 정류장에서 매일 아침 8시 정각부터 학교 버스를 기다리기 시작한다. 홍익이가 타려는 학교 버스는 매일 아침 8시부터 9시까지 한 시간 동안 임의의 시각에 무작위로 한 번 정류장에 도착한다. 자연수 n에 대하여 홍익이가 n일 동안 등교한다고 할 때, n일 동안 하루도 빠짐없이 $\frac{1}{n}$시간보다 긴 시간 동안 홍익이가 버스를 기다리는 사건을 A_n이라고 하자.

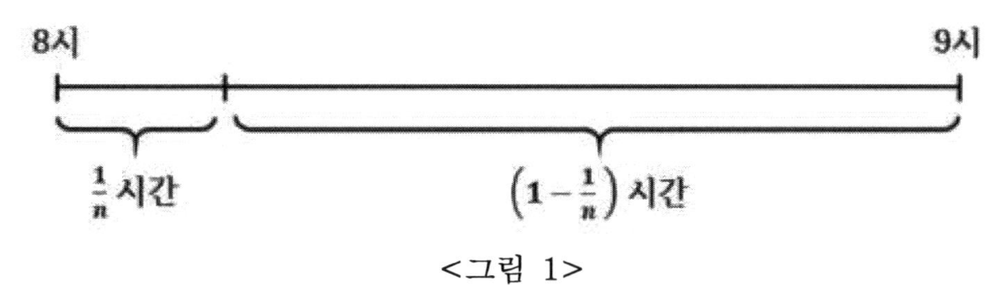

<그림 1>

(나) 로그함수 $y=\ln x$는 다음 성질을 만족한다.

(a) 함수 $y=\ln x$는 무리수 e를 밑으로 하는 로그함수이며, $e=2.718\cdots$임이 알려져 있다.

(b) 로그함수 $y=\ln x$는 구간 $(0,\ \infty)$에서 증가한다.

(c) 1이 아닌 양의 실수 x에 대하여 부등식 $\ln x < x-1$이 성립한다.

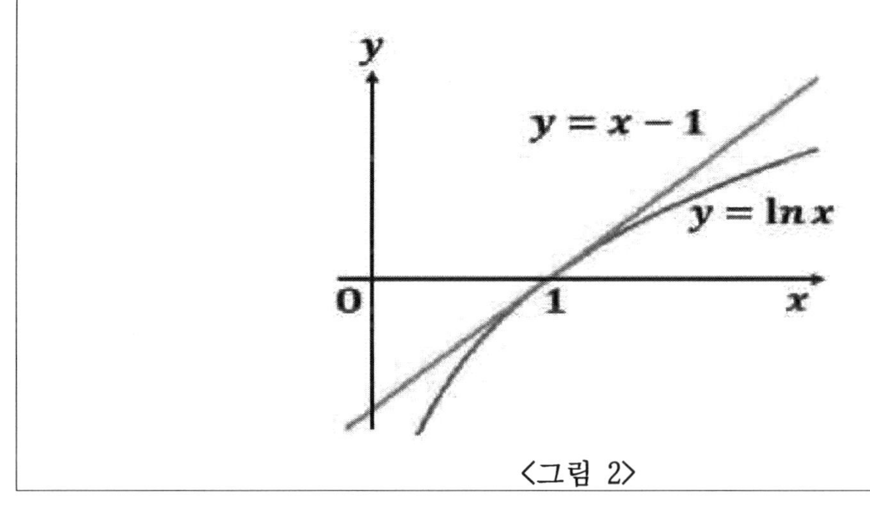

<그림 2>

(1) 사건 A_1과 A_2가 일어날 확률 $\mathrm{P}(A_1)$과 $\mathrm{P}(A_2)$를 각각 구하시오.

(2) 사건 A_n이 일어날 확률 $\mathrm{P}(A_n)$을 구하시오.

(3) 정의역이 $\{x|x>1\}$인 함수 $f(x)=\left(1-\frac{1}{x}\right)^x$에 대하여 $\frac{d}{dx}\ln f(x)$를 구하시오.

(4) 제시문의 (나)와 문항 (3)의 결과를 이용하여 모든 자연수 n에 대하여 $\mathrm{P}(A_{n+1}) > \mathrm{P}(A_n)$임을 보이시오.

(5) 홍익이가 n일 동안 적어도 한 번 이상 $\frac{1}{n}$시간보다 짧은 시간 동안 버스를 기다리는 사건을 B_n이라고 하자. 사건 B_n이 일어날 확률을 $\mathrm{P}(B_n)$이라고 할 때, 모든 자연수 n에 대하여 $\mathrm{P}(B_n) > \frac{1}{2}$임을 보이시오.

논술답안지 (자연계열)

※시감교수 확인란 (수험생은 표기 하지말 것.)		
결시자는 시감교수가 수험번호와 결시자 표기란을 반드시 컴퓨터용 사인펜으로 표기하시오.	결시자표기	○
시감교수 확인	㊞	

수험생기재란
지원학부(과)
성 명

가번호	
A	Ⓐ
C	Ⓒ
	⓪ ① ② ③ ④ ⑤ ⑥ ⑦ ⑧ ⑨
	⓪ ① ② ③ ④ ⑤ ⑥ ⑦ ⑧ ⑨
	⓪ ① ② ③ ④ ⑤ ⑥ ⑦ ⑧ ⑨
	⓪ ① ② ③ ④ ⑤ ⑥ ⑦ ⑧ ⑨
	⓪ ① ② ③ ④ ⑤ ⑥ ⑦ ⑧ ⑨
	⓪ ① ② ③ ④ ⑤ ⑥ ⑦ ⑧ ⑨

1차 채점	⑳ ⑲ ⑱ ⑰ ⑯ ⑮ ⑭ ⑬ ⑫ ⑪ ⑩ ⑨ ⑧ ⑦ ⑥ ⑤ ④ ③ ② ① ⓪	채점교수	(인)	비고	

2차 채점	⑳ ⑲ ⑱ ⑰ ⑯ ⑮ ⑭ ⑬ ⑫ ⑪ ⑩ ⑨ ⑧ ⑦ ⑥ ⑤ ④ ③ ② ① ⓪	채점교수	(인)	비고	

문제번호	1 번	❶ ② ③

※반드시 1번 문제의 답안만 작성하시오.

유의사항
1. '가번호'란은 반드시 컴퓨터용 사인펜으로 표기하시오.
2. '채점란'에 표기하지 마시오.

앞면에서 계속

점선 아래는 답안 작성을 하지 말 것.

논술답안지 (자연계열)

※시감교수 확인란 (수험생은 표기 하지말 것.)		
결시자는 시감교수가 수험번호와 결시자 표기란을 반드시 컴퓨터용 사인펜으로 표기하시오.	결시자표기	○
시감교수 확 인	㊞	

수험생기재란
지원학부(과)
성 명

가번호		
A	Ⓐ	
C	Ⓒ	
	⓪ ① ② ③ ④ ⑤ ⑥ ⑦ ⑧ ⑨	
	⓪ ① ② ③ ④ ⑤ ⑥ ⑦ ⑧ ⑨	
	⓪ ① ② ③ ④ ⑤ ⑥ ⑦ ⑧ ⑨	
	⓪ ① ② ③ ④ ⑤ ⑥ ⑦ ⑧ ⑨	
	⓪ ① ② ③ ④ ⑤ ⑥ ⑦ ⑧ ⑨	
	⓪ ① ② ③ ④ ⑤ ⑥ ⑦ ⑧ ⑨	

1차 채점	⑳ ⑲ ⑱ ⑰ ⑯ ⑮ ⑭ ⑬ ⑫ ⑪ ⑩ ⑨ ⑧ ⑦ ⑥ ⑤ ④ ③ ② ① ⓪	채점교수	(인)	비고	

2차 채점	⑳ ⑲ ⑱ ⑰ ⑯ ⑮ ⑭ ⑬ ⑫ ⑪ ⑩ ⑨ ⑧ ⑦ ⑥ ⑤ ④ ③ ② ① ⓪	채점교수	(인)	비고	

문제번호	2 번	① ❷ ③

※반드시 2번 문제의 답안만 작성하시오.

유의사항
1. '가번호'란은 반드시 컴퓨터용 사인펜으로 표기하시오.
2. '채점란'에 표기하지 마시오.

앞면에서 계속

점선 아래는 답안 작성을 하지 말 것.

논술답안지 (자연계열)

※시감교수 확인란 (수험생은 표기 하지말 것.)

결시자는 시감교수가 수험번호와 결시자 표기란을 반드시 컴퓨터용 사인펜으로 표기하시오.

결시자표기 ○

시감교수 확인 ㊞

수험생기재란

지원학부(과)

성 명

가번호	A ●	C ●
	⓪ ① ② ③ ④ ⑤ ⑥ ⑦ ⑧ ⑨	
	⓪ ① ② ③ ④ ⑤ ⑥ ⑦ ⑧ ⑨	
	⓪ ① ② ③ ④ ⑤ ⑥ ⑦ ⑧ ⑨	
	⓪ ① ② ③ ④ ⑤ ⑥ ⑦ ⑧ ⑨	
	⓪ ① ② ③ ④ ⑤ ⑥ ⑦ ⑧ ⑨	
	⓪ ① ② ③ ④ ⑤ ⑥ ⑦ ⑧ ⑨	

1차 채점	⑳ ⑲ ⑱ ⑰ ⑯ ⑮ ⑭ ⑬ ⑫ ⑪ ⑩ ⑨ ⑧ ⑦ ⑥ ⑤ ④ ③ ② ① ⓪	채점교수	(인)	비고	

2차 채점	⑳ ⑲ ⑱ ⑰ ⑯ ⑮ ⑭ ⑬ ⑫ ⑪ ⑩ ⑨ ⑧ ⑦ ⑥ ⑤ ④ ③ ② ① ⓪	채점교수	(인)	비고	

문제번호	3 번	① ② ❸

※반드시 3번 문제의 답안만 작성하시오.

유의사항
1. '가번호'란은 반드시 컴퓨터용 사인펜으로 표기하시오.
2. '채점란'에 표기하지 마시오.

앞면에서 계속

점선 아래는 답안 작성을 하지 말 것.

4. 2022학년도 홍익대 수시 논술 (오전)

[문제 1] [20점]

막대 1과 막대 2가 <그림 1>과 같이 B에서 연결되어 있다. 막대 1은 A를 중심으로 시곗 바늘이 도는 방향으로 회전하고, 막대 1과 막대 2사이의 각도는 자유롭게 변할 수 있다. 막대 1이 회전할 때 막대 2는 <그림 2>와 같이 항상 P점을 지나면서 움직인다. 이때, 막대 1과 막대 2가 연결된 점의 속력은 항상 1이다. 막대 1이 <그림 3>과 같은 위치로 가면, 그다음에는 막대 2가 <그림 4>와 같은 모양이 될 때까지 B″ 을 중심으로 회전한다.

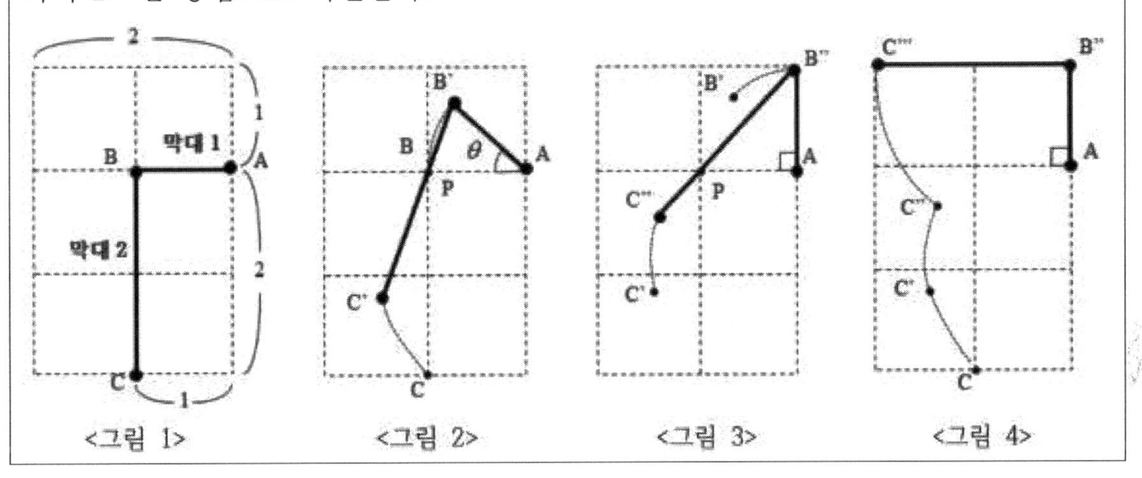

<그림 1> <그림 2> <그림 3> <그림 4>

(1) <그림 2>에서 $\theta = \frac{\pi}{3}$일 때 A와 C' 사이의 거리를 구하시오.

(2) <그림 2>에서 $\theta = \frac{\pi}{3}$일 때 C'을 지나는 막대 2의 끝의 속력을 구하시오.

(3) <그림 2>에서 $\theta = \frac{\pi}{3}$일 때 C'을 지나는 막대 2의 끝의 가속도 크기를 구하시오.

[문제 2] [20점]

송신기 A와 수신기 B로 이루어져 있는 무선 네트워크를 가정하자. 송신기 A와 수신기 B의 거리는 r km이다 ($r>0$). 이 무선 네트워크에서 송신기 A는 수신기 B에게 0 또는 1을 보낸다. B는 A로부터 받은 신호 X를 이용하여 A가 0을 보냈는지 또는 1을 보냈는지를 결정하는데, B가 받은 신호 X는 다음과 같은 확률분포를 따른다.

a) 0을 전송한 경우: X는 정규분포 $N(0,\ 0.5^2)$을 따른다.

b) 1을 전송한 경우: X는 정규분포 $N(r^{-2},\ 0.5^2)$을 따른다.

그리고, 수신기 B는 X를 이용하여, 송신기 A가 어떤 것을 보냈는지를 결정한다. 만약 $X>0.5r^{-2}$이라면 수신기 B는 송신기 A가 1을 보냈다고 결정하고, 그 외의 경우에는 송신기 A가 0을 보냈다고 결정한다. 송신기 A가 0을 보낼 확률과 1을 보낼 확률이 모두 0.5이다.

(1) 송신기 A가 0을 보낼 확률, 1을 보낼 확률을 각각 P(0보냄), P(1보냄)이라 하자. 수신기 B에서 오류가 일어날 확률은 조건부 확률을 이용하여 다음과 같이 나타낼 수 있다:

$$P(\text{오류}) = P(0\text{결정} \mid 1\text{보냄}) \times P(1\text{보냄}) + P(1\text{결정} \mid 0\text{보냄}) \times P(0\text{보냄})$$

송신기 A와 수신기 B사이의 거리 $r=1$ km일 때 수신기 B에서 오류가 일어날 확률을 아래의 표준정규분포표 <표 1>을 이용하여 계산하시오.

z	$P(0 \le Z \le z)$
0.25	0.10
0.50	0.19
0.75	0.27
1.00	0.34
1.25	0.39
1.50	0.43
1.75	0.46
2.00	0.48

<표 1>

(2) 수신기 B에서 오류가 일어날 확률을 거리 $r=1$ km와 거리 $r=2$ km인 두 경우에 대하여 각각 계산하시오. 그리고, $r=1$ km인 경우 오류가 일어날 확률의 제곱과 $r=2$ km인 경우 오류가 일어날 확률 각각을 소수점 셋째 자리에서 반올림하여 소수점 둘째 자리까지 구하고, 그 둘의 크기를 비교하시오.

(3) 직선 위의 A-B-C로 이루어진 릴레이 통신을 생각해 보자. A는 B에 0 또는 1을 보내고 B는 A로부터 받은 신호 X를 이용하여 A가 무엇을 보냈는지를 결정한다. 그리고, 릴레이 B는 결정된 신호 (0 또는 1)를 C에게 보낸다. 이때, C가 B로부터 받은 신호의

확률분포는 제시문에서 언급된 수신기 B가 송신기 A로부터 받은 신호의 확률분포와 동일하다. A와 B사이의 거리는 1 km이고 B와 C사이의 거리 또한 1 km라고 하자. 이때, A로부터 2 km떨어진 수신기 C에서 오류가 일어날 확률을 표준정규분포표 <표 1>을 이용하여 소수점 둘째 자리까지 구하시오. 이를 (2)에서 구한 거리가 $r=2$ km일 때 수신기 B에서 오류가 일어날 확률과 비교하시오.

[문제 3] [20점]

(가) 자전거를 <그림 1>과같이 각 바퀴의 중심이 양 끝점에 있는 길이가 l인 선분으로 볼 수 있다. 앞바퀴의 진행 방향은 선분과 일정한 각도 θ를 유지하고, 뒷바퀴의 진행 방향은 항상 선분과 같은 방향이다. 각각의 바퀴는 미끄러지지 않고 진행한다 $(\theta > 0)$.
※ 앞바퀴와 뒷바퀴가 지나간 자취는 서로 다른 원 위에 있음이 알려져 있다.

(나) 자동차의 움직임을 <그림 2>와 같이 각 바퀴의 중심이 네 꼭짓점에 있는, 가로의 길이가 w이고, 세로의 길이가 l인 직사각형의 움직임으로 볼 수 있다. 두 앞바퀴의 진행 방향은 세로 방향과 일정한 각도 θ_1, θ_2를 각각 유지하고, 뒷바퀴의 진행 방향은 세로 방향과 항상 같은 방향이다. $(\theta_1 > 0,\ \theta_2 > 0)$ 각각의 바퀴는 미끄러지지 않고 진행한다.

(다) 각 바퀴의 회전 반지름은 '바퀴의 중심에서 해당 바퀴가 그리는 원의 중심까지 거리'로 정의하고, 모든 바퀴의 두께와 크기는 무시한다.

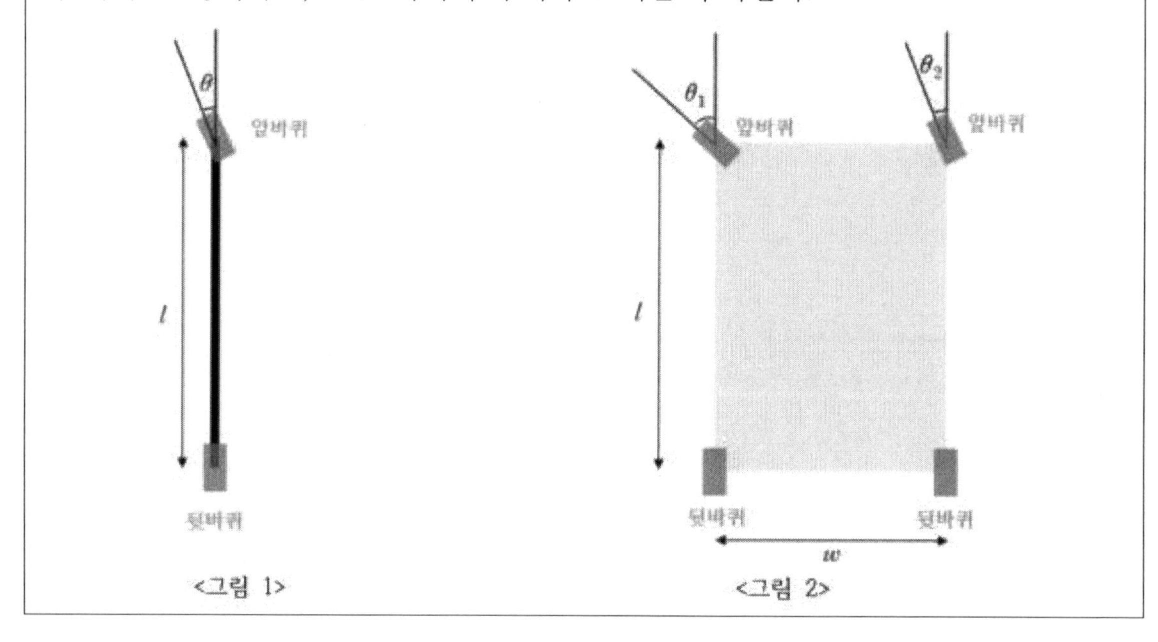

<그림 1> <그림 2>

(1) <그림 1>에서 앞바퀴 회전 반지름과 뒷바퀴 회전 반지름을 각각 θ와 l로 나타내시오.

(2) <그림 2>에서 각도 θ_1과 각도 θ_2의 관계식을 l과 w를 사용하여 구하시오.

(3) (2)번과 같은 조건으로 자동차가 움직일 때, 바퀴가 도로에서 벗어나지 않고 지나갈 수 있는 도로의 최소 폭 s를 l, w, θ_2만을 사용하여 구하시오.

논술답안지 (자연계열)

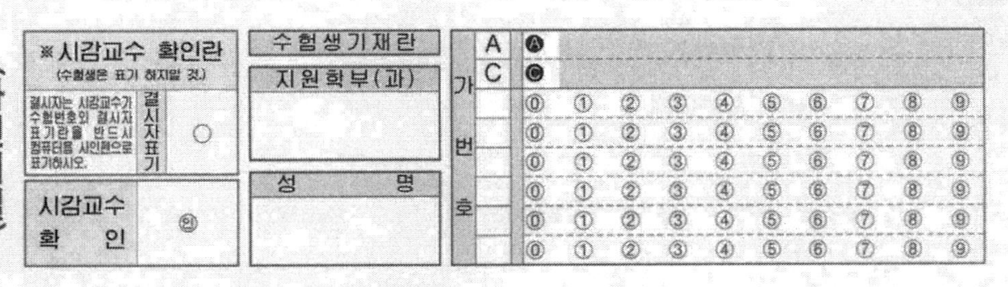

※시감교수 확인란
(수험생은 표기 하지말 것.)

결시자는 시감교수가 수험번호외 결시자 표기란을 반드시 컴퓨터용 사인펜으로 표기하시오. | 결시자 표기 ○

시감교수 확인 ㉩

수험생기재란

지원학부(과)

성 명

가번호		
A	Ⓐ	
C	Ⓒ	
	⓪ ① ② ③ ④ ⑤ ⑥ ⑦ ⑧ ⑨	
	⓪ ① ② ③ ④ ⑤ ⑥ ⑦ ⑧ ⑨	
	⓪ ① ② ③ ④ ⑤ ⑥ ⑦ ⑧ ⑨	
	⓪ ① ② ③ ④ ⑤ ⑥ ⑦ ⑧ ⑨	
	⓪ ① ② ③ ④ ⑤ ⑥ ⑦ ⑧ ⑨	
	⓪ ① ② ③ ④ ⑤ ⑥ ⑦ ⑧ ⑨	

1차 채점	⑳ ⑲ ⑱ ⑰ ⑯ ⑮ ⑭ ⑬ ⑫ ⑪ / ⑩ ⑨ ⑧ ⑦ ⑥ ⑤ ④ ③ ② ① ⓪	채점 교수	(인)	비고	

2차 채점	⑳ ⑲ ⑱ ⑰ ⑯ ⑮ ⑭ ⑬ ⑫ ⑪ / ⑩ ⑨ ⑧ ⑦ ⑥ ⑤ ④ ③ ② ① ⓪	채점 교수	(인)	비고	

문제번호	1 번	❶ ② ③

※반드시 1번 문제의 답안만 작성하시오.

유의사항
1. '가번호'란은 반드시 컴퓨터용 사인펜으로 표기하시오.
2. '채점란'에 표기하지 마시오.

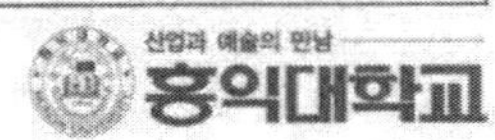

앞면에서 계속

정선 아래는 답안 작성을 하지 말 것.

논술답안지 (자연계열)

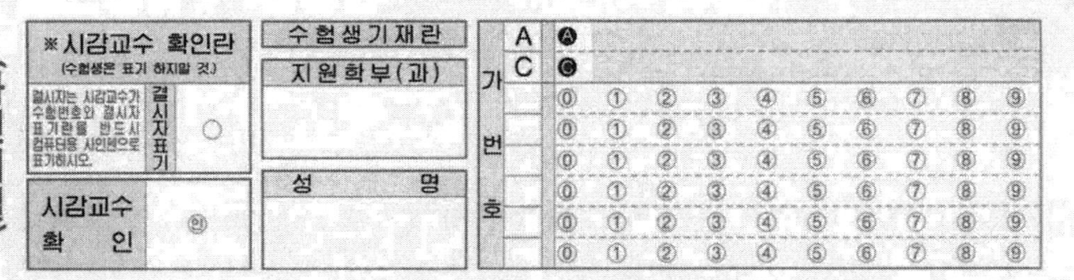

1차 채점	⑳ ⑲ ⑱ ⑰ ⑯ ⑮ ⑭ ⑬ ⑫ ⑪ ⑩ ⑨ ⑧ ⑦ ⑥ ⑤ ④ ③ ② ① ⓪	채점교수	(인)	비고	

2차 채점	⑳ ⑲ ⑱ ⑰ ⑯ ⑮ ⑭ ⑬ ⑫ ⑪ ⑩ ⑨ ⑧ ⑦ ⑥ ⑤ ④ ③ ② ① ⓪	채점교수	(인)	비고	

문제번호	2 번	① ❷ ③

※반드시 2번 문제의 답안만 작성하시오.

유의사항

1. '가번호'란은 반드시 컴퓨터용 사인펜으로 표기하시오.
2. '채점란'에 표기하지 마시오.

앞면에서 계속

점선 아래는 답안 작성을 하지 말 것.

논술답안지 (자연계열)

※시감교수 확인란 (수험생은 표기 하지말 것.)	
결시자는 시감교수가 수험번호와 결시자 표기란을 반드시 컴퓨터용 사인펜으로 표기하시오.	결시자 표기 ○
시감교수 확인	㊞

수험생기재란
지원학부(과)
성 명

가번호: A Ⓐ / C Ⓒ

가번호
⓪ ① ② ③ ④ ⑤ ⑥ ⑦ ⑧ ⑨
⓪ ① ② ③ ④ ⑤ ⑥ ⑦ ⑧ ⑨
⓪ ① ② ③ ④ ⑤ ⑥ ⑦ ⑧ ⑨
⓪ ① ② ③ ④ ⑤ ⑥ ⑦ ⑧ ⑨
⓪ ① ② ③ ④ ⑤ ⑥ ⑦ ⑧ ⑨
⓪ ① ② ③ ④ ⑤ ⑥ ⑦ ⑧ ⑨

1차 채점	⑳ ⑲ ⑱ ⑰ ⑯ ⑮ ⑭ ⑬ ⑫ ⑪ ⑩ ⑨ ⑧ ⑦ ⑥ ⑤ ④ ③ ② ① ⓪	채점 교수	(인)	비고

2차 채점	⑳ ⑲ ⑱ ⑰ ⑯ ⑮ ⑭ ⑬ ⑫ ⑪ ⑩ ⑨ ⑧ ⑦ ⑥ ⑤ ④ ③ ② ① ⓪	채점 교수	(인)	비고

문제번호	3 번	① ② ❸

※반드시 3번 문제의 답안만 작성하시오.

유의사항
1. '가번호'란은 반드시 컴퓨터용 사인펜으로 표기하시오.
2. '채점란'에 표기하지 마시오.

앞면에서 계속

점선 아래는 답안 작성을 하지 말 것.

5. 2022학년도 홍익대 수시 논술 (오후)

[문제 1] [20점]

아파트 신축 과정에서 사용한 건축 재료에는 휘발성 성분인 벤젠을 비롯한 각종 유기화합물들이 포함되어 있다. 신축 아파트 입주민들이 이를 지속적으로 흡입하게 되면 두통이 발생하는 등 새집 증후군이라고 알려진 증상이 나타나기도 한다. 벤젠(C_6H_6)은 국제 암연구소에서 제시한 물질별 위해성 등급에 따르면 1급 발암물질로 알려져 있다. 이에 정부에서는 신축 아파트의 실내공기질 권고기준을 마련하였으며, 이 중 벤젠 농도는 $30\mu g/m^3$이하로 설정되어 있다.

신축 아파트 A의 완공 직후 실내공기질 검사 결과, 벤젠 농도가 $150\mu g/m^3$으로 측정되었으며, 벤젠 농도는 다음의 조건 (가), (나)에 따라 변동한다.

(가) 창문을 열어 환기하는 경우, [그림 1]과 같이 창문을 열기 직전 벤젠 농도가 $a\mu g/m^3$이면, 환기 시작 후 t시간이 경과했을 때, 벤젠 농도 $C = a \times 0.4^t \mu g/m^3$이다.

(나) 창문을 닫아 놓는 경우, [그림 2]와 같이 창문을 닫기 직전 벤젠 농도가 $b\mu g/m^3$이면, 창문을 닫은 후 s시간이 경과했을 때, 벤젠 농도 $C = b \times 1.25^s \mu g/m^3$이다.

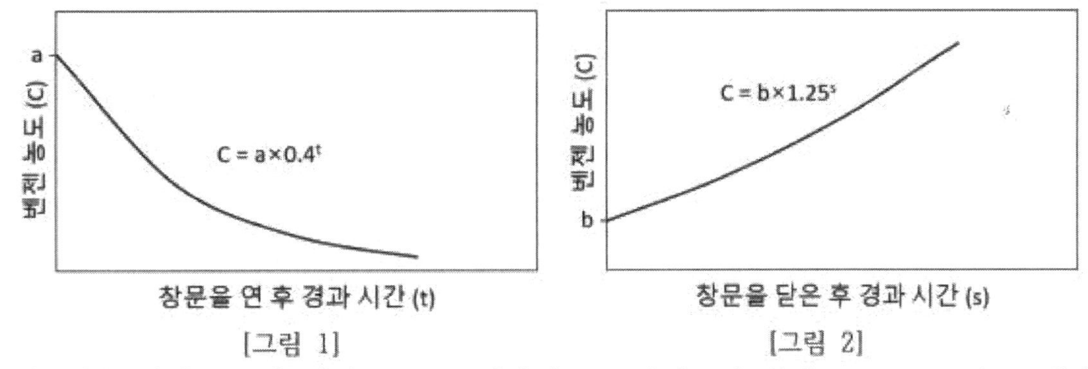

[그림 1] [그림 2]

(다) 신축 아파트 A의 벤젠 농도를 대략적으로 알아보기 위해 $\log 2$는 0.3으로 계산한다. 예를 들어, $\log 5 = \log 10 - \log 2 = 1 - \log 2$이므로, $\log 5$는 $1 - 0.3 = 0.7$로 계산한다.

(1) 완공 직후부터 창문을 열어 환기하기 시작하면 몇 시간 후 벤젠 농도가 실내공기질 권고기준을 만족하게 되는지 구하시오.

(2) 매일 일정한 t시간 동안 창문을 열어 환기한 후, 나머지 $24-t$시간 동안은 창문을 닫아 놓으려 한다. 완공 직후부터 벤젠 농도가 실내공기질 권고기준을 위반하는 시간의 총합을 최소화하려면 적어도 몇 시간 이상 매일 환기해야 하는지 구하시오.

(3) 완공 직후부터 2시간 동안 창문을 열어 환기한 후, 6시간 동안 창문을 닫아놓는 방식으로 창문 열고 닫기를 주기적으로 반복할 경우, 최소 몇 시간 후 입주가 가능한지 구하시오. (단, 입주 후에도 같은 방식으로 계속 환기하며, 벤젠 농도가 실내공기질 권고기준을 항상 만족해야 한다.)

[문제 2] [20점]

새로 개장한 홍익대공원에 [그림 1]과 같은 문어 모양의 놀이 기구가 있다. 밑면의 반지름이 1 m이고 높이가 3 m인 직원기둥 모양의 물통이 놀이 기구의 가운데 위치하고, 문어 다리 모양의 기구체가 물통에 연결되어 있다. 기구체의 끝에 홍익이가 물컵을 들고 타고 있다. 놀이 기구를 작동시키면, 전체 놀이 기구는 물통의 중심을 지나고 지표면과 수직인 중심축에 대하여 시간당 일정한 회전수로 회전한다. 놀이 기구가 정지해 있을 때는 물통과 물컵의 수면은 수평이지만, 작동하는 동안에는 회전의 영향으로 [그림 1]과 같이 물통 안의 물은 중심축 부근이 움푹 파인 모양이 된다. 물통과 물컵 안의 수면의 높이는 중심축으로부터의 거리가 멀어질수록 증가한다.

(가) [그림 2]는 놀이 기구의 중심축을 포함하고 물컵의 중심을 지나는 평면으로 자른 단면이다. 물통 안의 수면의 한 점과 중심축과의 거리를 r이라 할 때, 밑면으로부터 그 점까지의 높이 h는 적절한 상수 A, a_1에 대하여, 포물선의 식 $h = Ar^2 + a_1$을 따른다. 흥미롭게도, 물컵 안의 수면의 한 점과 중심축과의 거리를 r이라 할 때, 밑면으로부터 그 점까지의 높이 h도 물통의 경우와 동일한 상수 A와 적절한 상수 a_2에 대하여, $h = Ar^2 + a_2$를 따른다.

(나) [그림 3a]에서 놀이 기구의 중심축과 물통 안 수면이 만나는 점을 점 P라 하자. 점 P로부터 높이가 x인 점을 지나고 지표면과 평행인 평면 α를 생각하자. $0 < x < A$일 때, 물통 안의 물이 차 있는 부분을 평면 α로 자른 단면은 [그림 3b]와 같다. 이때 단면의 경계를 이루는 두 원은 중심이 같다.

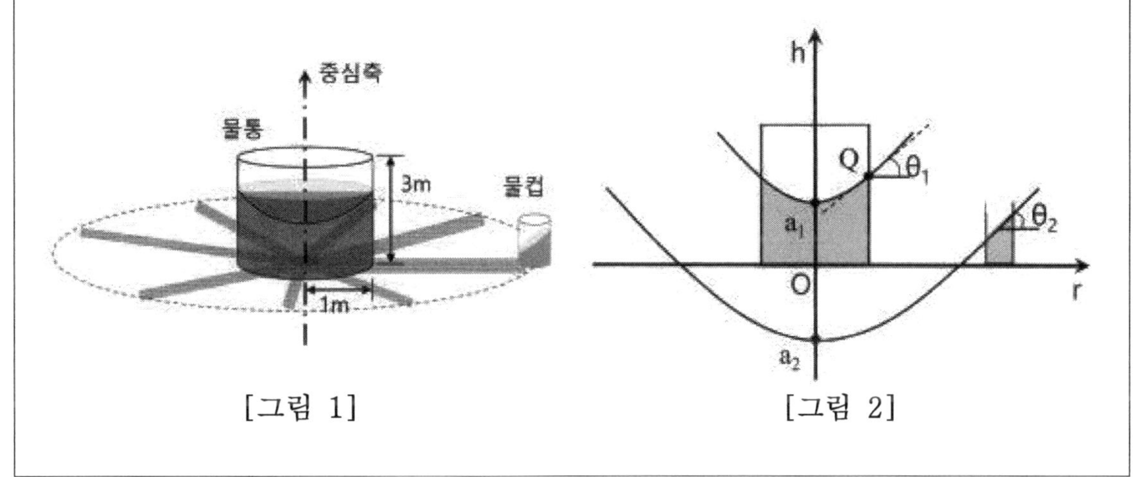

[그림 1] [그림 2]

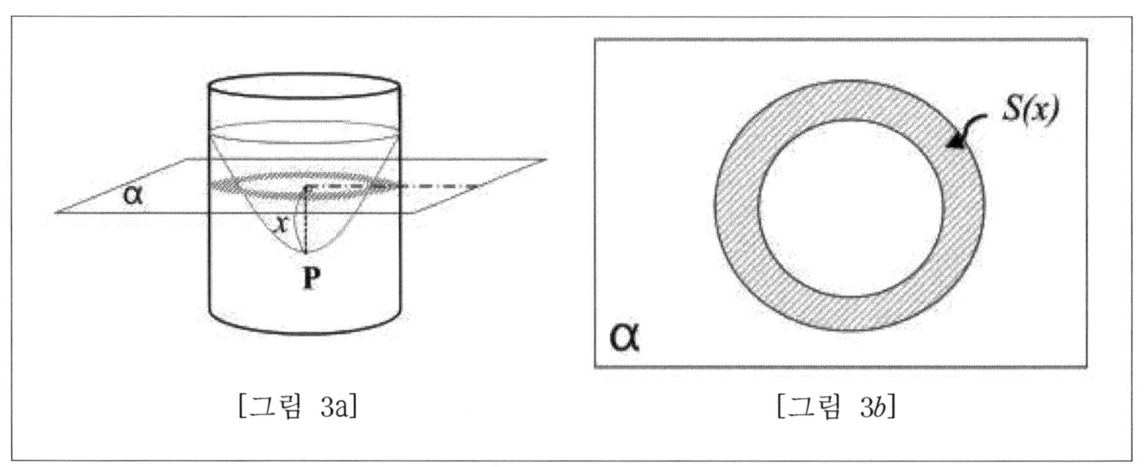

[그림 3a] [그림 3b]

(1) [그림 3b]의 단면의 넓이를 $S(x)\mathrm{m}^2$라고 할 때, $S(x)$를 A와 x의 식으로 표현하시오. 이를 이용하여 물통 안의 물의 부피를 A와 a_1의 식으로 나타내시오.

(2) 놀이 기구가 정지하고 있을 때 물통 안의 수면의 높이가 2 m이고, 놀이 기구가 회전할 때 물통 안의 수면의 최저 높이가 $2-\frac{\sqrt{3}}{12}$ m일 때, A의 값을 구하시오.

(3) 놀이 기구가 회전할 때, 물통의 가장자리에서 물통의 수면과 지표면이 이루는 각의 크기는 [그림 2]의 점 Q에서 포물선의 접선과 r축이 이루는 각의 크기 θ_1으로 나타난다. 문항 (2)와 동일한 가정하에서 각의 크기 θ_1을 구하시오.

(4) 놀이 기구가 정지하고 있을 때 물통에 물을 가득 채우고 놀이 기구를 작동시키면, 놀이 기구가 회전하며 물통의 물이 움푹 파인 모양이 되며, 파인 만큼의 물이 물통에서 넘치게 된다. 이때 수면의 높이는 적절한 상수 a_3에 대하여 $h=Ar^2+a_3$을 따른다고 할 때, 넘치게 되는 물의 부피를 구하시오. 단, 상수 A의 값은 문항 (2)에서 구한 값과 같다.

(5) 홍익이가 들고 있는 물컵의 중심에서 수면이 지표면과 이루는 각의 크기 θ_2가 60°를 넘지않도록 하기 위한 문어 다리의 길이 (회전축으로부터 물컵의 중심까지의 거리)의 최댓값을 구하시오.

[문제 3] [20점]

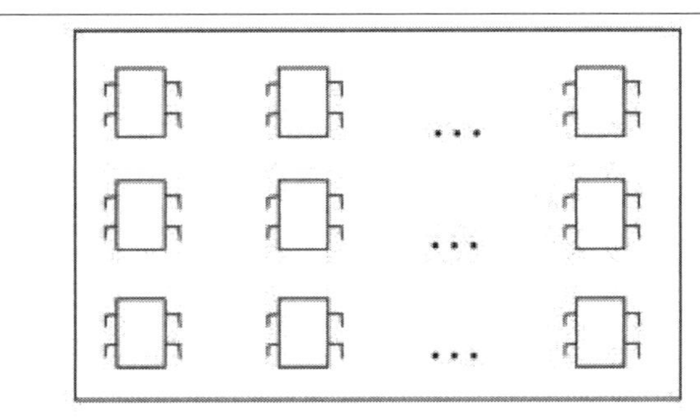

위의 그림과 같이 3개의 소자로 이루어진 세로줄이 n개 있어서, 모두 $3n$개의 소자로 이루어진 장치를 생각하자. (단, $n \geq 3$)

전원을 켜면 장치는 초기 상태에 들어가고, 이때 각각의 소자에는 독립적으로 1/2의 확률로 오류가 생긴다. 오류가 없는 소자의 상태를 ○, 오류가 있는 상태를 ×로 표시하자. 예를 들어, $n=4$인 경우, 다음과 같은 초기 상태들이 있을 수 있다.

이후 아래와 같이 보호장치가 작동하여 일부 소자의 오류를 수정하는데, 이 장치의 정상작동 여부는 다음의 순서로 결정된다.

(가) [세로줄 수정] 각 세로줄에서 생긴 오류가 1개 이하이면 보호장치가 해당 세로줄의 오류를 수정하고, 오류가 2개 이상이면 오류는 모두 그대로 남는다.

(나) [가로줄 수정] 세로줄 수정 후 남은 오류들 중, 각 가로줄에서 오류가 2개 이하이면 보호장치가 해당 가로줄의 오류를 모두 수정하고, 3개 이상이면 오류는 모두 그대로 남는다.

(다) 위의 (가), (나)에서 수정되지 않고 남아있는 오류가 있으면 장치는 오작동한다.

예를 들어, 수정된 오류를 ⊗로 나타낼 때, 초기 상태가 (a)라면, [세로줄 수정]에 의해 (a′)의 상태가 되고, [가로줄 수정]에 의해 (a″)의 상태가 되어 장치는 정상작동한다. 초기 상태 (b)는 [세로줄 수정]에 의해 (b′)의 상태가 되고, [가로줄 수정]에 의해 (b″)의 상태가 되어 장치가 오작동한다.

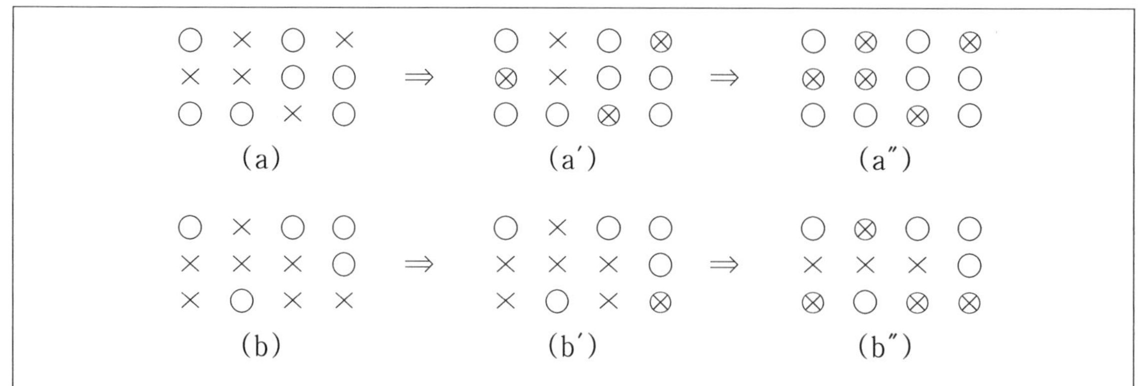

장치의 정상작동 여부는 초기 상태에 의해 결정되고, 초기 상태는 2^{3n}개가 있다. 이 장치의 전원을 켰을 때, [세로줄 수정] 직후, n개의 세로줄들 중에서 오류가 남아있는 세로줄이 3개 이상이 되는 초기 상태들의 집합을 사건 A라 하자. [세로줄 수정]과 [가로줄 수정]을 거쳐 장치의 오작동을 일으키는 초기 상태들의 집합을 사건 B라 하자.

(1) 장치의 전원을 켰을 때, [세로줄 수정] 직후, 첫 번째 세로줄에 오류가 남아있을 확률을 구하시오.

(2) $n \geq 3$인 경우, 확률 $\mathrm{P}(A)$를 n에 대한 식으로 나타내시오.

(3) $n=3$인 경우, 아래에 주어진 초기 상태 (c)는 A에 포함되고 B에는 포함되지 않는다. 반면, (d)는 A와 B에 모두 포함된다. 사건 $C=A-B$라 할 때, 확률 $\mathrm{P}(C)$를 구하시오.

○ × ×
× ○ ×
× × ○

(c)

× × ×
× ○ ×
× × ○

(d)

(4) $n=3$인 경우, 확률 $\mathrm{P}(B)$를 구하시오.

(5) $n=4$인 경우, 확률 $\mathrm{P}(B)$를 구하시오.

논술답안지 (자연계열)

※시감교수 확인란 (수험생은 표기 하지말 것.)	
결시자는 시감교수가 수험번호와 결시자 표기란을 반드시 컴퓨터용 사인펜으로 표기하시오.	결시자표기 ○
시감교수 확인	㊞

수험생기재란
지원학부(과)
성 명

가번호	
A	Ⓐ
C	Ⓒ
	⓪ ① ② ③ ④ ⑤ ⑥ ⑦ ⑧ ⑨
	⓪ ① ② ③ ④ ⑤ ⑥ ⑦ ⑧ ⑨
	⓪ ① ② ③ ④ ⑤ ⑥ ⑦ ⑧ ⑨
	⓪ ① ② ③ ④ ⑤ ⑥ ⑦ ⑧ ⑨
	⓪ ① ② ③ ④ ⑤ ⑥ ⑦ ⑧ ⑨
	⓪ ① ② ③ ④ ⑤ ⑥ ⑦ ⑧ ⑨

1차 채점	⑳ ⑲ ⑱ ⑰ ⑯ ⑮ ⑭ ⑬ ⑫ ⑪ ⑩ ⑨ ⑧ ⑦ ⑥ ⑤ ④ ③ ② ① ⓪	채점교수	(인)	비고

2차 채점	⑳ ⑲ ⑱ ⑰ ⑯ ⑮ ⑭ ⑬ ⑫ ⑪ ⑩ ⑨ ⑧ ⑦ ⑥ ⑤ ④ ③ ② ① ⓪	채점교수	(인)	비고

문제번호	1 번	❶ ② ③

※반드시 1번 문제의 답안만 작성하시오.

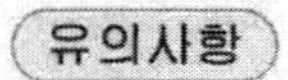

앞면에서 계속

점선 아래는 답안 작성을 하지 말 것.

논술답안지 (자연계열)

※시감교수 확인란 (수험생은 표기 하지말 것.)	
결시자는 시감교수가 수험번호와 결시자 표기란을 반드시 컴퓨터용 사인펜으로 표기하시오.	결시자표기 ○
시감교수 확인	㊞

수험생기재란
지원학부(과)
성 명

가번호	
A	Ⓐ
C	Ⓒ
	⓪ ① ② ③ ④ ⑤ ⑥ ⑦ ⑧ ⑨
	⓪ ① ② ③ ④ ⑤ ⑥ ⑦ ⑧ ⑨
	⓪ ① ② ③ ④ ⑤ ⑥ ⑦ ⑧ ⑨
	⓪ ① ② ③ ④ ⑤ ⑥ ⑦ ⑧ ⑨
	⓪ ① ② ③ ④ ⑤ ⑥ ⑦ ⑧ ⑨
	⓪ ① ② ③ ④ ⑤ ⑥ ⑦ ⑧ ⑨

1차 채점	⑳ ⑲ ⑱ ⑰ ⑯ ⑮ ⑭ ⑬ ⑫ ⑪ ⑩ ⑨ ⑧ ⑦ ⑥ ⑤ ④ ③ ② ① ⓪	채점교수	(인)	비고	

2차 채점	⑳ ⑲ ⑱ ⑰ ⑯ ⑮ ⑭ ⑬ ⑫ ⑪ ⑩ ⑨ ⑧ ⑦ ⑥ ⑤ ④ ③ ② ① ⓪	채점교수	(인)	비고	

문제번호	2 번	① ❷ ③

※반드시 2번 문제의 답안만 작성하시오.

유의사항

1. '가번호'란은 반드시 컴퓨터용 사인펜으로 표기하시오.
2. '채점란'에 표기하지 마시오.

앞면에서 계속

점선 아래는 답안 작성을 하지 말 것.

논술답안지 (자연계열)

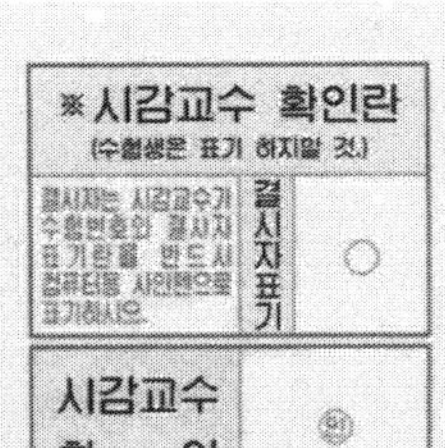

수험생기재란

지원학부(과)

성 명

가번호		
A	❹	
C	❻	
	⓪ ① ② ③ ④ ⑤ ⑥ ⑦ ⑧ ⑨	
	⓪ ① ② ③ ④ ⑤ ⑥ ⑦ ⑧ ⑨	
	⓪ ① ② ③ ④ ⑤ ⑥ ⑦ ⑧ ⑨	
	⓪ ① ② ③ ④ ⑤ ⑥ ⑦ ⑧ ⑨	
	⓪ ① ② ③ ④ ⑤ ⑥ ⑦ ⑧ ⑨	
	⓪ ① ② ③ ④ ⑤ ⑥ ⑦ ⑧ ⑨	

1차 채점	⑳ ⑲ ⑱ ⑰ ⑯ ⑮ ⑭ ⑬ ⑫ ⑪ ⑩ ⑨ ⑧ ⑦ ⑥ ⑤ ④ ③ ② ① ⓪	채점교수	(인)	비고

2차 채점	⑳ ⑲ ⑱ ⑰ ⑯ ⑮ ⑭ ⑬ ⑫ ⑪ ⑩ ⑨ ⑧ ⑦ ⑥ ⑤ ④ ③ ② ① ⓪	채점교수	(인)	비고

문제번호	3 번	① ② ❸

※반드시 3번 문제의 답안만 작성하시오.

유의사항
1. '가번호'란은 반드시 컴퓨터용 사인펜으로 표기하시오.
2. '채점란'에 표기하지 마시오.

앞면에서 계속

점선 아래는 답안 작성을 하지 말 것.

6. 2021학년도 홍익대 수시 논술 (오전)

[문제 1] [20점]

수직선 위에 점 A가 있고, 앞면이 나올 확률이 $\frac{1}{2}$인 동전이 있다. 이 동전을 한 번 던져서 앞면이 나오면 점 A를 $+1$ 만큼, 뒷면이 나오면 점 A를 -1 만큼 이동시키는 '시행'을 한다. 점 A의 시작 좌표는 1 또는 2 이다. 자연수 n을 '시행횟수'라 하고 위 '시행'을 n회 반복한다. 아래와 같이 '성공', '실패', '보류' 사건을 정의한다.

- 점 A가 좌표 0에 도달하기 전에 좌표 3에 먼저 도달하는 사건을 '성공'으로 정의한다.
- 점 A가 좌표 3에 도달하기 전에 좌표 0에 먼저 도달하는 사건을 '실패'라고 정의한다.
- 점 A가 n회의 '시행' 동안 좌표 0 또는 3에 도달하지 못한 사건을 '보류'라고 정의한다.

'시행횟수'가 n일 때, $x=1$ 또는 $x=2$에 대하여 점 A가 좌표 x에서 시작하여 '성공'할 확률을 $S(n, x)$, '보류'될 확률을 $D(n, x)$, '실패'할 확률을 $F(n, x)$라 하자.

(1) $D(3, 1)$과 $D(4, 2)$를 구하고, 모든 자연수 n에 대하여 $D(n, 1)$과 $D(n, 2)$를 각각 n에 대한 식으로 표현하시오.

(2) $n \geq 2$인 모든 자연수 n에 대하여 점 A는 좌표 1에서 시작하면 첫 '시행' 후 $\frac{1}{2}$의 확률로 좌표 0으로 이동하여 '실패'하거나, $\frac{1}{2}$의 확률로 좌표 2로 이동한 후에 '시행'을 반복하게 된다. 이를 이용하여 $S(n, 1)$을 $S(n-1, 2)$에 대한 식으로 표현하시오.

(3) $n \geq 2$인 모든 자연수 n에 대하여 문항 (2)와 유사한 방식으로 $S(n, 2)$를 $S(n-1, 1)$에 대한 식으로 표현하시오.

(4) 모든 자연수 n에 대하여 $S(n, 2) = F(n, 1)$가 성립함을 간단히 설명하고, 이 사실을 이용하여 $a_n = S(n, 1)$과 $b_n = S(n, 2)$에 대해 수열 $\{a_n + b_n\}$의 극한값 $\lim_{n \to \infty}(a_n + b_n)$을 구하시오.

(5) 문항 (4)에서 정의한 두 수열 $\{a_n\}$과 $\{b_n\}$의 극한이 모두 존재할 때, $\{a_n\}$의 극한값 $\lim_{n \to \infty} a_n$과 $\{b_n\}$의 극한값 $\lim_{n \to \infty} b_n$을 각각 구하시오.

[문제 2] [20점]

반지름이 1인 반구 모양의 인간 복부가 <그림 1>에 그려져 있다. 복부 내부에 지방이 있는 부분을 복부의 밑면으로부터 높이가 h인 지점에서 밑면과 평행한 평면으로 자른 단면은 반지름이 $1-\sqrt{h}$인 원이며, 이 원은 같은 평면으로 자른 복부의 단면과 중심이 같다. 복부 내부의 지방을 흡입관 끝으로 훑으며 흡입해서 모두 제거한 후, <그림 2>와 같이 지방이 제거된 빈 공간에 원뿔 모양의 의료 보형물을 삽입한다.

(단, $0 \le h \le 1$)

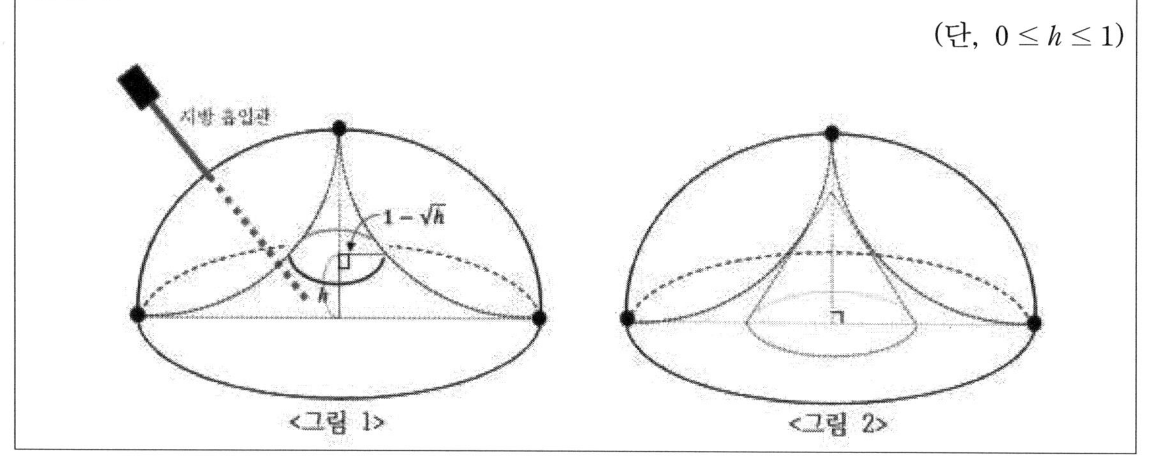

<그림 1> <그림 2>

(1) <그림 1>에서 제거된 지방의 부피를 구하시오.

(2) 복부 위에서 바라보았을 때, 좌표평면 위를 흡입관 끝이 움직인다.
시각 t에서의 흡입관 끝의 위치 점 $\mathrm{P}(x, y)$가

$$x = e^{-t}\cos t,\ y = e^{-t}\sin t$$

일 때, 점 $\mathrm{P}(x, y)$가 시각 $t=0$에서 $t=\pi$ 까지 움직인 거리를 구하시오.

(3) <그림 2>에서 삽입하는 의료 보형물인 원뿔의 중심축은 반구 밑면의 중심을 지나고 반구 밑면에 수직이다. 이때 삽입 가능한 의료 보형물의 최대 부피를 구하시오.

[문제 3] [20점]

아래 <그림 1>과 같이 중심에서 꼭짓점까지의 거리가 1인 정n각형 두 개가 꼭짓점을 맞대며 한 변에서 서로 접하고 있다. 두 도형 중 하나의 '고정 도형'은 제자리에 고정되어 있다. 나머지 하나의 '회전 도형'이 꼭짓점을 축으로 다음 변이 접할 때까지 회전하고, 이를 반복하여 '고정 도형'의 주위를 돌아 원래 자리까지 움직인다. (단, 정n각형의 중심은 외접원의 중심이다.)

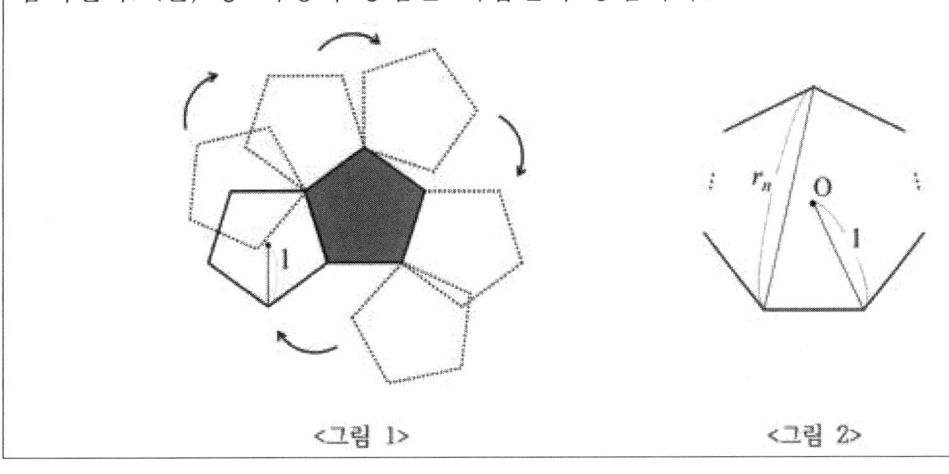

<그림 1> <그림 2>

(1) $n=3$일 때 '회전 도형'이 훑고 지나간 면적을 구하시오.

(2) n이 3 이상의 홀수일 때 <그림 2>와 같이 중심 O에서 꼭짓점까지의 거리가 1인 정n각형의 가장 먼 두 꼭짓점 사이의 거리를 r_n이라 하자. $r_n = 2\cos\left(\frac{\pi}{2n}\right)$임을 보이시오.

(3) n이 3 이상의 홀수일 때 '회전 도형'이 훑고 지나간 면적을 S_n이라 하자.
S_n의 식을 구하고, $\lim_{k \to \infty} S_{2k+1}$의 값과 그 의미를 설명하시오. (단, k는 자연수이다.)

논술답안지 (자연계열)

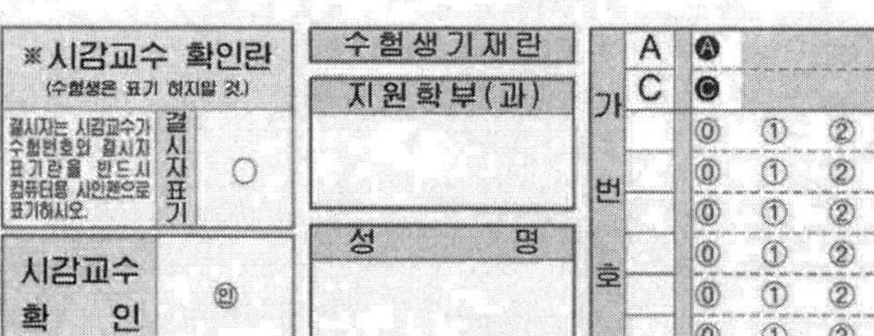

1차 채점	⑳ ⑲ ⑱ ⑰ ⑯ ⑮ ⑭ ⑬ ⑫ ⑪ ⑩ ⑨ ⑧ ⑦ ⑥ ⑤ ④ ③ ② ① ⓪	채점교수	(인)	비고	

2차 채점	⑳ ⑲ ⑱ ⑰ ⑯ ⑮ ⑭ ⑬ ⑫ ⑪ ⑩ ⑨ ⑧ ⑦ ⑥ ⑤ ④ ③ ② ① ⓪	채점교수	(인)	비고	

문제번호	1 번	❶ ② ③

※반드시 1번 문제의 답안만 작성하시오.

유의사항
1. '가번호'란은 반드시 컴퓨터용 사인펜으로 표기하시오.
2. '채점란'에 표기하지 마시오.

앞면에서 계속

점선 아래는 답안 작성을 하지 말 것.

논술답안지 (자연계열)

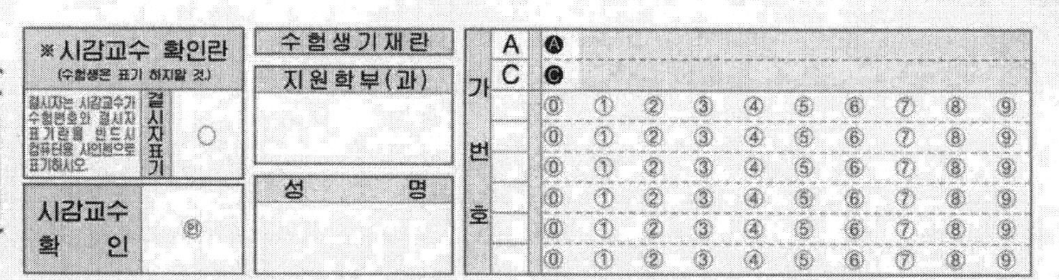

1차 채점	⑳ ⑲ ⑱ ⑰ ⑯ ⑮ ⑭ ⑬ ⑫ ⑪ ⑩ ⑨ ⑧ ⑦ ⑥ ⑤ ④ ③ ② ① ⓪	채점 교수	(인)	비고	

2차 채점	⑳ ⑲ ⑱ ⑰ ⑯ ⑮ ⑭ ⑬ ⑫ ⑪ ⑩ ⑨ ⑧ ⑦ ⑥ ⑤ ④ ③ ② ① ⓪	채점 교수	(인)	비고	

문제번호	2 번	① ❷ ③

※반드시 2번 문제의 답안만 작성하시오.

유의사항
1. '가번호'란은 반드시 컴퓨터용 사인펜으로 표기하시오.
2. '채점란'에 표기하지 마시오.

앞면에서 계속

점선 아래는 답안 작성을 하지 말 것.

논술답안지 (자연계열)

※시감교수 확인란 (수험생은 표기 하지말 것.)	
결시자는 시감교수가 수험번호와 결시자 표기란을 반드시 컴퓨터용 사인펜으로 표기하시오.	결시자표기 ○
시감교수 확인	㊞

수험생기재란

지원학부(과)
성 명

가번호	A ⒶⒸ C
	⓪ ① ② ③ ④ ⑤ ⑥ ⑦ ⑧ ⑨
	⓪ ① ② ③ ④ ⑤ ⑥ ⑦ ⑧ ⑨
	⓪ ① ② ③ ④ ⑤ ⑥ ⑦ ⑧ ⑨
	⓪ ① ② ③ ④ ⑤ ⑥ ⑦ ⑧ ⑨
	⓪ ① ② ③ ④ ⑤ ⑥ ⑦ ⑧ ⑨
	⓪ ① ② ③ ④ ⑤ ⑥ ⑦ ⑧ ⑨

1차 채점	⑳ ⑲ ⑱ ⑰ ⑯ ⑮ ⑭ ⑬ ⑫ ⑪ ⑩ ⑨ ⑧ ⑦ ⑥ ⑤ ④ ③ ② ① ⓪	채점교수	(인)	비고	

2차 채점	⑳ ⑲ ⑱ ⑰ ⑯ ⑮ ⑭ ⑬ ⑫ ⑪ ⑩ ⑨ ⑧ ⑦ ⑥ ⑤ ④ ③ ② ① ⓪	채점교수	(인)	비고	

문제번호	3 번	① ② ❸

※반드시 3번 문제의 답안만 작성하시오.

유의사항

1. '가번호'란은 반드시 컴퓨터용 사인펜으로 표기하시오.
2. '채점란'에 표기하지 마시오.

산업과 예술의 만남 홍익대학교

앞면에서 계속

점선 아래는 답안 작성을 하지 말 것.

7. 2021학년도 홍익대 수시 논술 (오후)

[문제 1] [20점]

공원에 서식하는 다람쥐의 개체수 N을 예측하고자 한다. 먼저 공원 내 다람쥐 20마리를 잡아 표식을 부착한 뒤 풀어 주었다. 며칠 후 공원에서 임의로 잡은 25마리를 모아 표식을 확인하였다. 이때 3마리만 표식이 있을 확률을 $f(N)$이라고 하자. 위와 같은 사건이 일어나려면 다람쥐는 42마리 이상임을 알 수 있다. 즉 $N \geq 42$이다.

(1) 함수 $f(N)$을 구하시오.

(2) $g(N) = \dfrac{f(N+1)}{f(N)}$일 때, $g(N)$을 $\dfrac{N^2+cN+d}{N^2+aN+b}$의 형태로 구하시오.

(3) $f(N+1) > f(N)$을 만족하는 N의 범위와 $f(N+1) < f(N)$을 만족하는 N의 범위를 각각 구하시오.

(4) 위의 결과를 이용하여 $f(N)$이 최대가 되는 자연수 N의 값을 구하고, 그 이유를 설명하시오.

[문제 2] [20점]

다음의 예는 함수 $g(x)$의 그래프와 함숫값의 부호를 나타낸 표이다.
방정식 $g(x)=0$은 양의 실근 a, b, c, d를 갖는다.

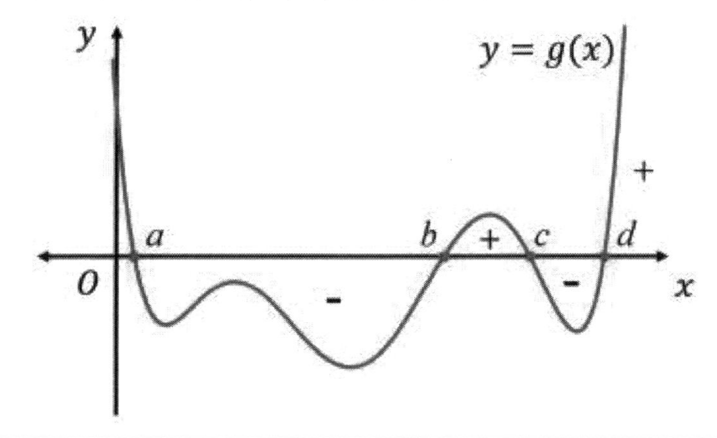

x	0	$\cdots$	a	$\cdots$	b	$\cdots$	c	$\cdots$	d	$\cdots$
$g(x)$	$g(0)$	$+$	0	$-$	0	$+$	0	$-$	0	$+$

다음 롤의 정리에 따라, 위의 미분가능한 함수 $g(x)$에 대하여 a와 b 사이에 $g'(x)=0$의 양의 실근이 하나 이상 존재함을 알 수 있다.

[롤의 정리] 함수 $g(x)$가 닫힌구간 $[a,b]$에서 연속이고 열린구간 (a,b)에서 미분가능할 때, $g(a)=g(b)$이면 $g'(c)=0$인 c가 열린구간 (a,b)에 적어도 하나 존재한다.

실수 계수를 갖는 n차 다항함수 $f(x)=a_nx^n+a_{n-1}x^{n-1}+\cdots+a_1x+a_0$가 다음의 조건 (a)와 (b)를 만족한다.

(a) $a_n>0$, $a_{n-1}\cdots a_1a_0\neq 0$

(b) 함수 $f(x)$, $f'(x)$, $f''(x)$의 그래프들은 x축에 접하지 않는다.

이러한 다항함수 $f(x)$에 대하여 세 방정식 $f(x)=0$, $f'(x)=0$, $f''(x)=0$의 서로 다른 양의 실근의 개수를 각각 k_0, k_1, k_2라고 하자.

(1) $a_0>0$이면 $f(x)=0$의 서로 다른 양의 실근의 개수 k_0가 짝수이고, $a_0<0$이면 k_0가 홀수임을 위의 제시문에 주어진 것과 같은 표를 이용하여 설명하시오.

(2) 롤의 정리를 이용하여 $k_0\leq k_1+1$이 성립함을 설명하시오.

(3) $n\geq 1$이고 a_0와 a_1의 부호가 같은 경우, $k_0\leq k_1$이 성립함을 설명하시오.

(4) $n\geq 2$이고 a_0, a_1, a_2의 부호가 모두 같은 경우, $k_0\leq k_2$이 성립함을 설명하시오.

(5) 다항함수 $f(x)=x^4+2718x^3-2818x^2-3141x-5926$는 제시문의 조건 (a)와 (b)를 만족한다. 위의 결과들을 이용하여 방정식 $f(x)=0$의 서로 다른 양의 실근의 개수를 구하시오.

[문제 3] [20점]

반지름이 1인 원에 내접하는 정다각형들을 생각하자. 이러한 정n각형의 꼭짓점들을 시곗바늘이 도는 방향과 반대인 방향의 순서대로 P_1, P_2, …, P_n이라 하자.

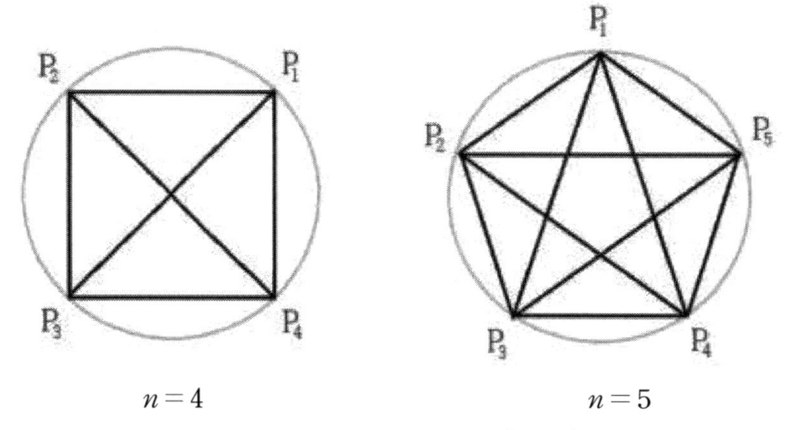

$n=4$ $n=5$

정n각형의 두 꼭짓점을 잇는 선분들은 ${}_nC_2 = \frac{n(n-1)}{2}$개 있다. 이 선분들의 길이의 평균을 M_n이라 하자.

가령 정사각형의 두 꼭짓점을 잇는 선분은 6개 있고 그 길이의 평균 M_4는 아래와 같다.

$$M_4 = \frac{\sqrt{2}+\sqrt{2}+\sqrt{2}+\sqrt{2}+2+2}{6} = \frac{2\sqrt{2}+2}{3}$$

(1) 정n각형의 꼭짓점 P_i, P_j를 잇는 선분의 길이 $\overline{P_iP_j}$를 구하시오. (단, $1 \le i < j \le n$이다.)

(2) 정n각형의 첫 번째 꼭짓점과 다른 꼭짓점을 잇는 선분들의 길이 $\overline{P_1P_2}$, $\overline{P_1P_3}$, …, $\overline{P_1P_n}$의 평균을 L_n이라 하자. $M_n = L_n$임을 설명하시오.

(3) $\lim_{n\to\infty} M_n$의 값을 구하시오.

(4) 정$2n$각형의 꼭짓점들이 홀수 번째 꼭짓점은 검은색으로, 짝수 번째 꼭짓점은 흰색으로 칠해져있다. 서로 같은 색 두 꼭짓점을 잇는 선분들의 개수와 서로 다른 색 두 꼭짓점을 잇는 선분들의 개수를 각각 구하시오.

(5) 위 (4)의 정$2n$각형에서 서로 같은 색 두 꼭짓점을 잇는 선분들의 길이의 평균을 F_n이라 하고, 서로 다른 색 두 꼭짓점을 잇는 선분들의 길이의 평균을 G_n이라 하자. $\lim_{n\to\infty} F_n$, $\lim_{n\to\infty} G_n$의 값을 각각 구하시오.

논술답안지 (자연계열)

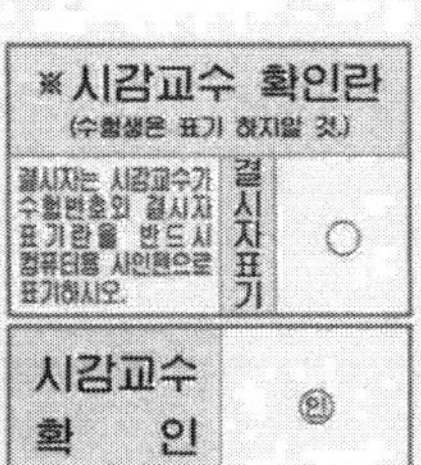

수험생기재란
지원학부(과)
성 명

가번호	
A	Ⓐ
C	Ⓒ
	⓪ ① ② ③ ④ ⑤ ⑥ ⑦ ⑧ ⑨
	⓪ ① ② ③ ④ ⑤ ⑥ ⑦ ⑧ ⑨
	⓪ ① ② ③ ④ ⑤ ⑥ ⑦ ⑧ ⑨
	⓪ ① ② ③ ④ ⑤ ⑥ ⑦ ⑧ ⑨
	⓪ ① ② ③ ④ ⑤ ⑥ ⑦ ⑧ ⑨
	⓪ ① ② ③ ④ ⑤ ⑥ ⑦ ⑧ ⑨

1차 채점	⑳ ⑲ ⑱ ⑰ ⑯ ⑮ ⑭ ⑬ ⑫ ⑪ ⑩ ⑨ ⑧ ⑦ ⑥ ⑤ ④ ③ ② ① ⓪	채점 교수	(인)	비고	

2차 채점	⑳ ⑲ ⑱ ⑰ ⑯ ⑮ ⑭ ⑬ ⑫ ⑪ ⑩ ⑨ ⑧ ⑦ ⑥ ⑤ ④ ③ ② ① ⓪	채점 교수	(인)	비고	

문제번호	1 번	❶ ② ③

※반드시 1번 문제의 답안만 작성하시오.

유의사항

1. '가번호'란은 반드시 컴퓨터용 사인펜으로 표기하시오.
2. '채점란'에 표기하지 마시오.

산업과 예술의 만남 홍익대학교

앞면에서 계속

점선 아래는 답안 작성을 하지 말 것.

논술답안지 (자연계열)

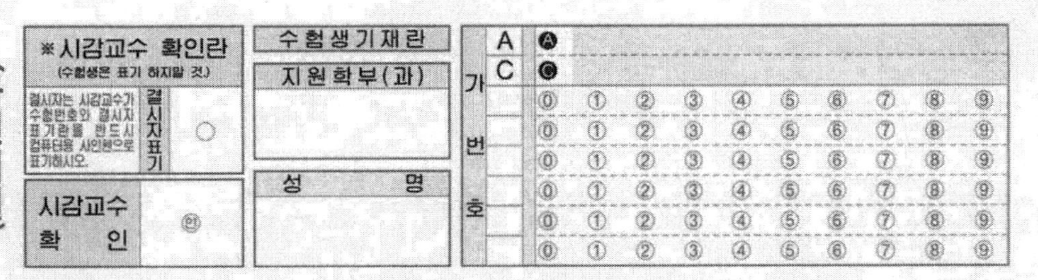

1차 채점	⑳ ⑲ ⑱ ⑰ ⑯ ⑮ ⑭ ⑬ ⑫ ⑪ ⑩ ⑨ ⑧ ⑦ ⑥ ⑤ ④ ③ ② ① ⓪	채점 교수	(인)	비고	

2차 채점	⑳ ⑲ ⑱ ⑰ ⑯ ⑮ ⑭ ⑬ ⑫ ⑪ ⑩ ⑨ ⑧ ⑦ ⑥ ⑤ ④ ③ ② ① ⓪	채점 교수	(인)	비고	

문제번호	2 번	① ❷ ③

※반드시 2번 문제의 답안만 작성하시오.

유의사항
1. '가번호'란은 반드시 컴퓨터용 사인펜으로 표기하시오.
2. '채점란'에 표기하지 마시오.

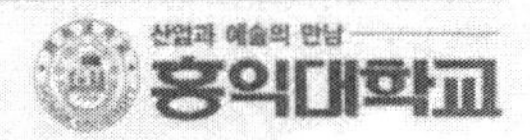

앞면에서 계속

정선 아래는 답안 작성을 하지 말 것.

논술답안지 (자연계열)

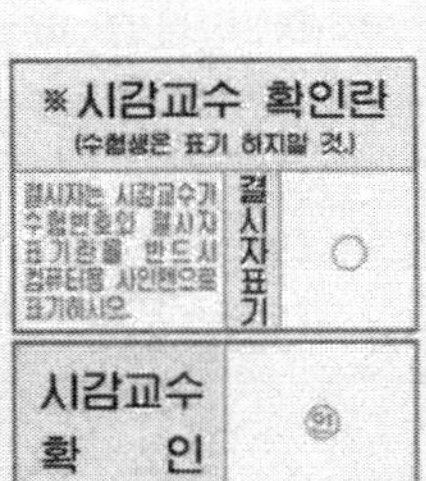

수험생기재란

지원학부(과)

성 명

가번호	A	Ⓐ
	C	Ⓒ

1차 채점	⑳ ⑲ ⑱ ⑰ ⑯ ⑮ ⑭ ⑬ ⑫ ⑪ ⑩ ⑨ ⑧ ⑦ ⑥ ⑤ ④ ③ ② ① ⓪	채점교수	(인)	비고

2차 채점	⑳ ⑲ ⑱ ⑰ ⑯ ⑮ ⑭ ⑬ ⑫ ⑪ ⑩ ⑨ ⑧ ⑦ ⑥ ⑤ ④ ③ ② ① ⓪	채점교수	(인)	비고

문제번호	3 번	① ② ❸

※반드시 3번 문제의 답안만 작성하시오.

유의사항

1. '가번호'란은 반드시 컴퓨터용 사인펜으로 표기하시오.
2. '채점란'에 표기하지 마시오.

앞면에서 계속

점선 아래는 답안 작성을 하지 말 것.

VI. 예시 답안

1. 2024학년도 홍익대 모의 논술

[문제 1]

(1) 방정식 $\frac{x^2}{9}+y^2=1$에서 $\frac{dy}{dx}$를 구하시오.

(2) 점 $A(x_1, y_1)$에서의 타원의 접선의 방정식을 $y=cx+d$이라고 하자. 문항 (1)의 결과를 이용하여, c를 x_1과 y_1에 대한 식으로 나타내고, d를 y_1에 대한 식으로 나타내시오. 또한, 이 접선의 x절편을 x_1에 대한 식으로 나타내시오.

(3) 자투리 공간의 넓이가 최솟값을 가질 때 x_1과 y_1을 구하고, 이때 자투리 공간의 넓이를 구하시오.

(4) 문항 (3)과 같이 자투리 공간의 넓이가 최솟값을 가지도록 둘레길을 설치하였다. 이후 점 F와 F′을 초점으로 가지고 점 G와 G′을 지나는 타원 모양의 울타리를 설치하려고 한다. 이 울타리를 나타내는 타원의 방정식을 구하시오. (단, 울타리의 폭은 무시한다.)

[문제 2]

(1) 홍익이의 주사위를 한 번 던져 나오는 수를 확률변수 X, 아빠의 주사위를 한 번 던져 나오는 수를 확률변수 Y라 하자. X와 Y의 기댓값 $E(X)$와 $E(Y)$를 구하시오.

(2) 홍익이와 아빠가 주사위 놀이를 한다면 둘 중 누가 더 유리한지 설명하시오.

(3) 홍익이와 아빠는 매일 한 번씩 총 405일간 주사위 놀이를 하였다. 홍익이가 승리한 날이 총 200일 이상이 될 확률을 아래의 표준정규분포표를 사용하여 구하시오.

z	$P(0 \le Z \le z)$
0.5	0.1915
1.0	0.3413
2.0	0.4772
3.0	0.4987

(4) 엄마의 주사위는 각 면의 자연수를 엄마가 임의로 선택하여 만들 수 있다. 단, 제시문의 설명과 같이, 홍익이, 아빠, 엄마의 주사위에 있는 총 18개의 면에는 모두 다른 자연수가 쓰여야 한다. 엄마는 이 주사위를 홍익이와 주사위 놀이를 할 때 사용하고, 같은 주사위를 아빠와 주사위 놀이를 할 때도 사용한다. 엄마가 홍익이와 주사위 놀이를 하여 엄마가 승리할 확률을 p_1이라 하고, 엄마가 아빠와 주사위 놀이를 하여 엄마가 승리할

확률을 p_2라 하자. 엄마가 $p_1 - p_2$가 최대가 되도록 주사위 각 면의 자연수를 선택한다고 할 때, $p_1 - p_2$의 최댓값은 무엇인지 설명하시오.

[문제 3]

(1) 시각 t에서 물풍선의 반지름 R을 R_0과 t에 대한 식으로 나타내시오. $(0 \le t \le t_1)$

(2) $S(x)$를 R_1과 x의 식으로 표현하시오.

(3) 시각 t_1에서 빠져나간 물에 잠긴 물풍선 부분의 부피를 R_1에 대한 식으로 나타내시오.

(4) $R_0 = 5$일 때, 시각 t_1를 구하시오.

[문제 1]

(1) 음함수의 미분법을 이용하여 구할 수 있다.

$$\frac{d}{dx}\left(\frac{x^2}{9}\right) + \frac{d}{dx}(y^2) = \frac{d}{dx}(1)$$
$$\Rightarrow \frac{2}{9}x + 2y\frac{dy}{dx} = 0$$
$$\Rightarrow \frac{dy}{dx} = -\frac{x}{9y} \quad (\text{단, } y \neq 0)$$

(2) (x_1, y_1)**위에서의 기울기는** $c = -\frac{x_1}{9y_1}$**이 된다. 이를 접선의 방정식** $y = c(x - x_1) + y_1$**에 대입하면,**

$$y = -\frac{x_1}{9y_1}(x - x_1) + y_1 = -\frac{x_1}{9y_1}x + \left(\frac{x_1^2}{9y_1} + y_1\right) \quad \text{..............①}$$

한편, (x_1, y_1)**은 타원 위에 있는 점이므로,** $\frac{x_1^2}{9} + y_1^2 = 1$**을 만족한다. 이를 이용하면**

$$\frac{x_1^2}{9y_1} + y_1 = \frac{1}{y_1}$$

을 얻을 수 있다. 이를 위 접선의 방정식 ①에 대입하면,

$$y = -\frac{x_1}{9y_1}x + \frac{1}{y_1}$$

이 되어, $c = -\frac{x_1}{9y_1}$, $d = \frac{1}{y_1}$**이다. 이를 이용하면 접선의** x**절편은** $\frac{9}{x_1}$**가 된다.**

(3) 해당 둘레길이 x**축과 만나는 점을 각각** $\mathrm{F}(a, 0)$**과** $\mathrm{F}'(-a, 0)$**라 하고,** y**축과 만나는 점을 각각** $\mathrm{G}(0, b)$**과** $\mathrm{G}'(0, -b)$**라 하자 (단,** $a > 0$, $b > 0$**이다.).** a**와** b**는 각각 (2)에서**

구한 접선의 x절편과 y절편이므로 $a=\frac{9}{x_1}$, $b=\frac{1}{y_1}$임을 알 수 있다. 둘레길은 마름모 모양이며 내부의 넓이는 $2ab=\frac{18}{x_1y_1}$이다. 꽃밭의 넓이는 3π이므로, 자투리 공간의 넓이는

$$\frac{18}{x_1y_1}-3\pi$$

가 된다.

한편, $(x_1,\ y_1)$은 제시된 타원 방정식 위의 점이므로 다음을 만족한다.

$$1=\frac{x_1^2}{9}+y_1^2$$

제시문 (다)를 이용하여 아래의 부등식이 성립함을 알 수 있다.

$$1=\frac{x_1^2}{9}+y_1^2\geq 2\sqrt{\left(\frac{x_1^2}{9}\right)y_1^2}=\frac{2x_1y_1}{3}$$

$$\Rightarrow\frac{1}{x_1y_1}\geq\frac{2}{3} \qquad \cdots\cdots\cdots\cdots\cdots\cdots\cdots ②$$

$$\Rightarrow\frac{18}{x_1y_1}-3\pi\geq 12-3\pi$$

등호는 $\frac{x_1^2}{9}=y_1^2=\frac{1}{2}$일 때 성립한다. 즉, 자투리 공간의 총 넓이의 최솟값은 $12-3\pi$이고, 이때 $(x_1,\ y_1)=\left(\frac{3\sqrt{2}}{2},\ \frac{\sqrt{2}}{2}\right)$이다.

(4) 문항 (3)으로부터, 둘레길을 나타내는 마름모의 네 꼭짓점 좌표는 각각 $\mathrm{F}\left(\frac{9}{x_1},\ 0\right)$, $\mathrm{F}'\left(-\frac{9}{x_1},\ 0\right)$, $\mathrm{G}\left(0,\ \frac{1}{y_1}\right)$, $\mathrm{G}'\left(0,\ -\frac{1}{y_1}\right)$이다. 피타고라스 정리를 활용하여 마름모의 한 변의 길이를 구하면 $\sqrt{\left(\frac{9}{x_1}\right)^2+\left(\frac{1}{y_1}\right)^2}$가 되므로, 울타리의 장축의 길이는 $2\sqrt{\left(\frac{9}{x_1}\right)^2+\left(\frac{1}{y_1}\right)^2}$이다. 여기에 문항 (3)에서 구한 $(x_1,\ y_1)=\left(\frac{3\sqrt{2}}{2},\ \frac{\sqrt{2}}{2}\right)$를 대입하면, 울타리의 장축의 길이는 $4\sqrt{5}$가 된다. 한편, 단축의 길이는 $\frac{2}{y_1}=2\sqrt{2}$이다. 이를 활용하여 울타리를 나타내는 타원의 방정식을 구하면,

$$\frac{x^2}{20}+\frac{y^2}{2}=1$$

이 된다,

[문제 2]

(1) $E(X)=\dfrac{2+4+23+25+29+31}{6}=19,\quad E(Y)=\dfrac{5+7+11+13+35+37}{6}=18.$

(2) 홍익이와 아빠 두 사람이 동시에 주사위를 던졌을 때 홍익이가 승리할 경우의 수를 나타내는 다음의 표에서 홍익이가 승리할 확률은 $\dfrac{4}{9}$**이며, 아빠가 승리할 확률은** $\dfrac{5}{9}$**이므로 아빠가 더 유리하다.**

	2	4	23	25	29	31
5	×	×	○	○	○	○
7	×	×	○	○	○	○
11	×	×	○	○	○	○
13	×	×	○	○	○	○
35	×	×	×	×	×	×
37	×	×	×	×	×	×

(3) 홍익이가 승리한 날의 수를 확률변수 W**라 하면,** W**는 이항분포** $B\left(405,\ \dfrac{4}{9}\right)$**를 따르며, 평균** m**과 표준편차** σ**는 각각** $m=405\times\dfrac{4}{9}=180,\ \sigma=\sqrt{405\times\dfrac{4}{9}\times\dfrac{5}{9}}=\sqrt{100}=10$**이다.**

확률변수 W**는 근사적으로 정규분포** $N(180,\ 10^2)$**을 따르므로 구하는 확률은**

$$P(200\le W)=P\left(\frac{200-180}{10}\le Z\right)=P(2\le Z)=\frac{1}{2}-P(0\le Z\le 2)=0.5-0.4772=0.0228$$

이다.

(4) A**를 홍익이의 주사위에 쓰인 자연수들의 집합이라 하고,** B**를 아빠의 주사위에 쓰인 자연수들의 집합이라 하자.** A**또는** B**에 속하지 않은 자연수** n**에 대해** $f(n)$**을** n**보다 작은** A**의 원소의 개수라 하고,** $g(n)$**을** n**보다 작은** B**의 원소의 개수라 하자. 만약** a_i**를 엄마의 주사위에 쓰인** i**번째 자연수라 하면,** $\sum_{i=1}^{6}f(a_i)$**는 엄마와 홍익이의 주사위 놀이로 나오는 36개의 결과 중 엄마가 승리하는 경우의 수이므로** $p_1=\dfrac{1}{36}\sum_{i=1}^{6}f(a_i)$**이다. 같은 이유로** $p_2=\dfrac{1}{36}\sum_{i=1}^{6}g(a_i)$**이며** $p_1-p_2=\dfrac{1}{36}\sum_{i=1}^{6}(f(a_i)-g(a_i))$**이 성립 한다. 다음의 표는** A **또는** B**에 속하지 않은 자연수** n**에 대해, 그 자연수가 속한 구간에 따른** $f,\ g,\ f-g$**의 값을 나타낸다.**

A		2		4									23		25		29		31					
B					5		7		11		13										35		37	
f	0	×	1	×	×	2	×	2	×	2	×	2	×	3	×	4	×	5	×	6	×	6	×	6
g	0	×	0	×	×	1	×	2	×	3	×	4	×	4	×	4	×	4	×	4	×	5	×	6
$f-g$	0	×	1	×	×	1	×	0	×	−1	×	−2	×	−1	×	0	×	1	×	2	×	1	×	0

따라서 $p_1 - p_2 = \frac{1}{36}\sum_{i=1}^{6}(f(a_i) - g(a_i))$**의 값이 최대가 되는 경우는 엄마가** $f-g$**의 값이** 2 **인** 31**과** 35 **사이의 세 자연수** 32, 33, 34**를 모두 선택하고,** $f-g$**의 값이** 1**인** 3, 6, 30, 36 **중 임의로 나머지 세 자연수를 선택하는 경우이므로,** $p_1 - p_2$**의 최댓값은**

$$p_1 - p_2 = \frac{3 \times 2 + 3 \times 1}{36} = \frac{9}{36} = \frac{1}{4}$$

이다.

[문제 3]

(1) 처음 물풍선의 반지름 : R_0

t**초 후, 물풍선을 빠져나간 물의 부피 :** $V(t) = \frac{\pi}{3}t$

물이 빠져나간 후의 물풍선의 반지름을 R**라 하면,**

→ 물이 빠져나가 변한 물풍선의 부피 : $V(t) = \frac{\pi}{3}t = \frac{4}{3}\pi(R_0^3 - R^3) \rightarrow R = \left(R_0^3 - \frac{1}{4}t\right)^{\frac{1}{3}}$

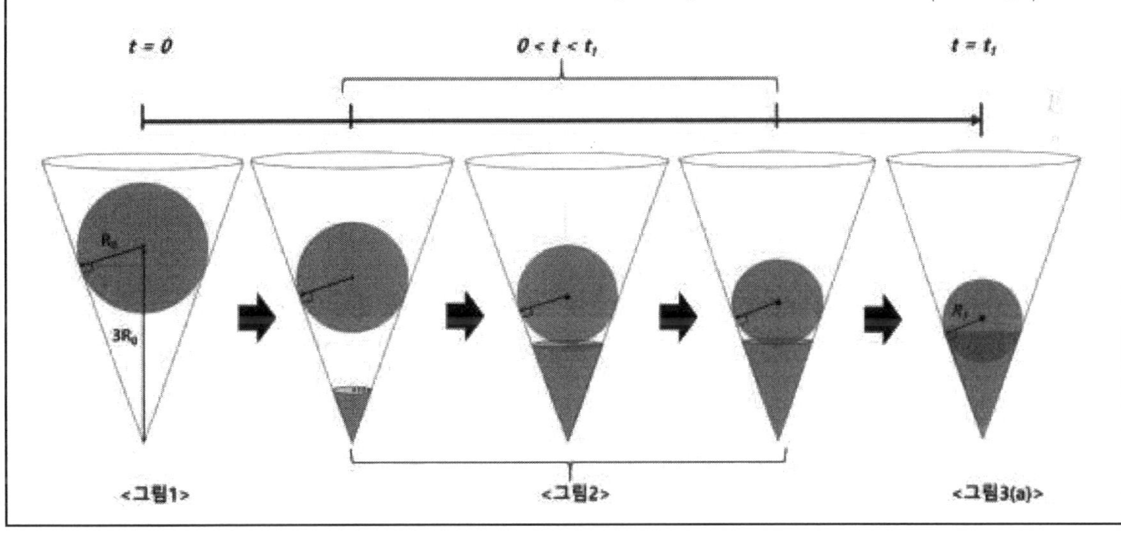

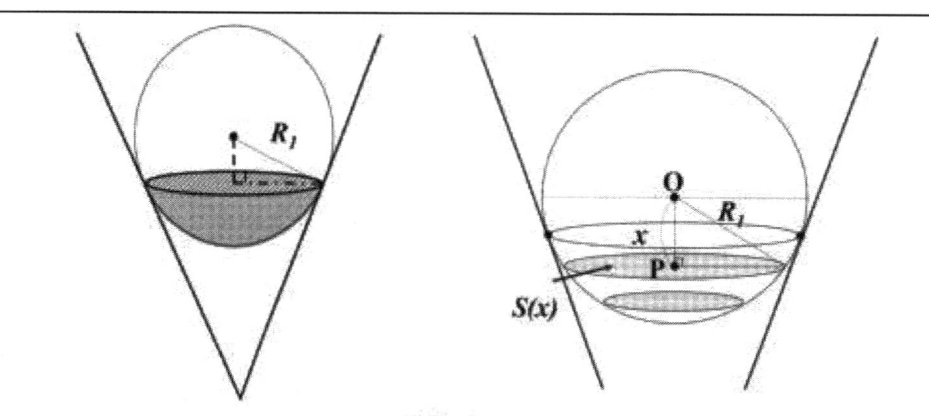

<그림3(b)>

물풍선의 반지름은 R_1**이고,** $\overline{\mathrm{OP}}=x$**이므로 피타고라스의 정리를 이용하면**

단면인 원의 반지름은 $\sqrt{\left(R_1^2-x^2\right)}$**.**

따라서, 원의 넓이는 $S(x)=\pi\left(R_1^2-x^2\right)$**.**

(3) 삼각형 닮음을 이용하면 x**가** $\frac{1}{3}R_1$**부터** R_1**까지의 변화에 대해 넓이** $S(x)$**를 적분한 값이 된다.**

$$\int_{\frac{R_1}{3}}^{R_1}\pi\left(R_1^2-x^2\right)dx$$

$$=\pi\left[R_1^2x-\frac{1}{3}x^3\right]_{\frac{R_1}{3}}^{R_1}=\pi\left[R_1^3-\frac{R_1^3}{3}-\frac{R_1^3}{3}+\frac{R_1^3}{81}\right]=\frac{28}{81}\pi R_1^3$$

(4) 시각 t_1**에서 물에 잠기지 않은 물풍선의 부피와 접선이 이루는 면을 밑면으로 하는 원뿔의 부피의 합은 시각** 0**초에서 물풍선의 부피와 같아야 한다. 각각을 다음과 같이 구한다.**

(가) 시각 0**초에서 물풍선의 부피 :** $\frac{4}{3}\pi R_0^3$

(나) 빠져나간 물의 부피:

$$\Delta V=\pi\left(\frac{2\sqrt{2}}{3}R_1\right)^2\times\frac{8}{3}R_1\times\frac{1}{3}-\frac{28}{81}\pi R_1^3=\frac{64}{81}\pi R_1^3-\frac{28}{81}\pi R_1^3=\frac{36}{81}\pi R_1^3$$

즉. $R_2^3=\frac{81}{36\pi}\Delta V$

(다) 작아진 풍선의 부피 $\Delta V=\frac{4}{3}\pi R_0^3-\frac{4}{3}\pi R_1^3$

$$\Rightarrow\Delta V=\frac{4}{3}\pi R_0^3-\frac{4}{3}\pi\left(\frac{81}{36\pi}\Delta V\right)\Rightarrow\Delta V=\frac{1}{3}\pi R_0^3$$

따라서, $\Delta V=\frac{\pi}{3}t_1=\frac{1}{3}\pi R_0^3$. $R_0=5$이므로, $$t_1=\frac{3}{\pi}\frac{1}{3}\pi R_0^3=5^3=125,\ t_1$$는 125초

2. 2023학년도 홍익대 수시 논술 (오전)

[문제 1]

(1) 중심점 O를 좌표평면의 원점에 두고 직선 $y=-1$에 변을 가지는 종이의 아래쪽을 <그림 1>과 같은 방법으로 접어서 얻는 곡선이 포물선이 되는 이유를 설명하고, 이 포물선의 준선과 초점을 구하시오.

(2) 중심점 O를 좌표평면의 원점에 두고 직선 $x=1$, $x=-1$, $y=1$, $y=-1$에 네 변을 가지는 정사각형 모양 종이에서, 네 변 각각에 대해 제시문과 같은 방법으로 곡선을 만들었을 때 곡선에 해당하는 식을 모두 구하시오.

(3) 문항 (2)에서 접힌 자국이 없는 영역 R가 아래의 그림과 같이 생성될 때, 이 영역의 넓이를 구하시오.

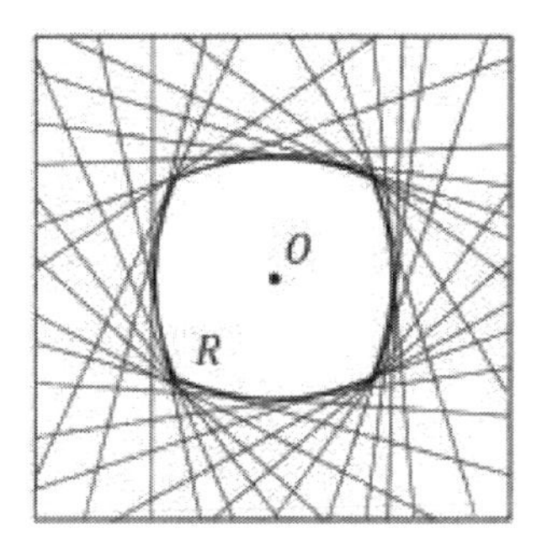

[문제 2]

(1) 보통의 경우, 각각의 비트가 간섭에 의해 바뀔 확률 p를 0.1이라 하자. 이때, 3-반복 코드 수신기의 최종결정 비트와 송신기가 보낸 비트가 서로 달라 최종결정오류가 발생할 확률을 구하시오.

(2) 갑작스런 태양의 활동으로 각각의 비트가 바뀔 확률 p가 0.1에서 0.2로 늘어났다고 하자. 이때, 동일하게 구성된 3-반복 코드 수신기의 최종결정오류 확률을 구하시오. 그리고, 이 값이 문항 (1)에서 구한 확률의 몇 배인지 소수점 둘째 자리에서 반올림하여 구하시오.

(3) 문항 (2)와 같이 태양 활동이 활발한 경우 ($p=0.2$), 수신기의 최종결정오류를 줄이기 위해 송신기의 비트를 m번 반복하는 m-반복 코드를 설계하려고 한다. 단, m-반복 코드 수신기의 최종결정오류 확률값이, 문항 (1)에서 구한 $p=0.1$일 때의 3-반복 코드의 최종결정오류 확률값보다 더 작도록 설계하고 싶다. 필요한 m의 최솟값을 아래의 표를 참고하여 구하시오.

$2^{10}=1024$	$2^{11}=2048$	$2^{12}=4096$	$2^{13}=8192$	$2^{14}=16384$
$2^{15}=32768$	$2^{16}=65536$	$2^{17}=131072$	$2^{18}=262144$	$2^{19}=524288$
$63\times2^{18}=16515072$	$21\times2^{17}=2752512$	$9\times2^{17}=1179648$	$9\times2^{15}=294912$	$35\times2^{13}=286720$

[문제 3]

(1) 실수 c에 대해 가우스 기호 $[c]$는 c를 넘지 않는 최대 정수를 나타낸다. 즉 c에 대해 $m \le c < m+1$인 정수 m이 $[c]$의 값이다. 임의의 실수 c에 대해, 분모가 자연수 n이고 분자가 정수인 분수 중에서 c를 넘지 않는 가장 큰 분수를 가우스 기호를 이용하여 표시하시오.

(2) 닫힌 구간 $[a,\ b]$를 길이 $\frac{1}{n}$인 구간들로 분할하였을 때, k번째 구간에서의 $f(x)$의 최솟값을 m_k, 최댓값을 M_k라 하자. $s(n)$과 $t(n)$의 식을 가우스 기호와 $\sum$기호를 이용하여 나타내시오.

(3) 구간 $[0,\ 3]$에서 정의된 함수 $f(x)$의 식이 다음과 같다고 한다.

$$f(x)=\begin{cases} 2x & (0 \le x < 1) \\ -\frac{1}{2}(x-1)+2=-\frac{x}{2}+\frac{5}{2} & (1 \le x \le 3) \end{cases}$$

주어진 $f(x)$에 대하여 $s(n)$와 $t(n)$을 자연수 n에 관한 다항식으로 나타내시오.

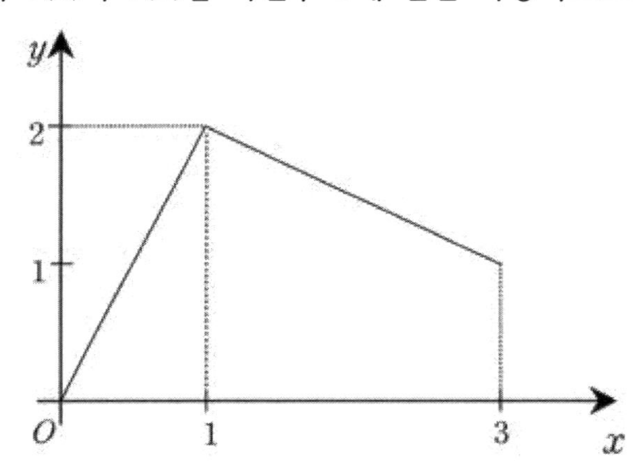

(4) 문항 (3)의 $f(x)$와 이에 대한 $s(n)$, $t(n)$에 대하여 $\lim_{n\to\infty}\frac{s(n)}{n^2}$, $\lim_{n\to\infty}\frac{t(n)}{n^2}$, $\lim_{n\to\infty}\frac{s(n)}{n}$

[문제 1]

(1) 포물선의 정의: 평면 상의 한 점(초점)과 이 점을 지나지 않는 직선(준선)으로부터 거리가 같은 점들의 집합. 제시문의 <그림 2>의 점 P는 원점과 정사각형의 아랫변(직선 $y=-1$)으로부터 거리가 같다. 이는 접힌 흔적 ℓ_3을 기준으로 선대칭을 이루기 때문이다 (아래 그림 참조). 따라서 이와 같은 점들의 집합은 원점 O를 초점, 직선 $y=-1$를 준선으로 가지는 포물선의 일부이다.

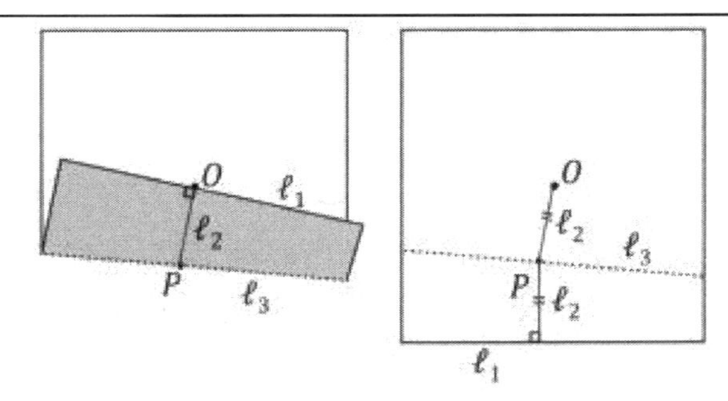

(2) 위 (1)에 의해 구하는 네 곡선은 각각 점 O를 초점, 직선 $x=1$, $x=-1$, $y=1$, $y=-1$를 준선으로 가지는 포물선이다. 점 O를 초점, 직선 $y=-1$를 준선으로 가지는 포물선의 식은 원점부터 점 $P(x,\ y)$까 지의 거리는 $\sqrt{x^2+y^2}$이고 점 P부터 직선 $y=-1$까지의 거리는 $|y+1|$이므로 $\sqrt{x^2+y^2}=|y+1|$로부터 $x^2+y^2=y^2+2y+1$ 즉, $x^2=2y+1$이다. (또는 $y=\dfrac{x^2-1}{2}$)

마찬가지로

원점 O를 초점, 직선 $x=1$을 준선으로 가지는 포물선의 식은 $y^2=-2x+1$

원점 O를 초점, 직선 $x=-1$을 준선으로 가지는 포물선의 식은 $y^2=2x+1$

원점 O를 초점, 직선 $y=1$을 준선으로 가지는 포물선의 식은 $x^2=-2y+1$이다.

(3) 대칭을 고려하면 정사각형의 각 변을 준선으로 삼는 각각의 포물선은 $y=x$와 $y=-x$ 2개의 직선으로 그 경계가 나뉜다. (아래 그림 참조)

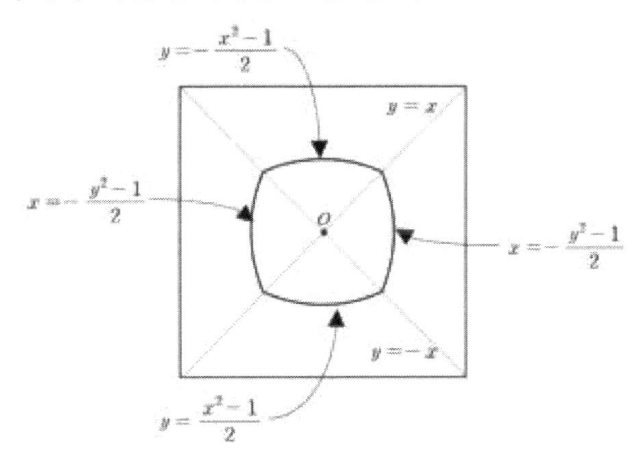

아래쪽 포물선 $y=\dfrac{x^2-1}{2}$과 직선 $y=x$의 교점은 $x^2-2x-1=0$로부터 $x=y=1\pm\sqrt{2}$이다. 두 교점 중 위의 그림에서 왼쪽 아래의 교점(즉, 3사분면의 교점)은 $x=1-\sqrt{2}$, $y=1-\sqrt{2}$이다. 구하는 면적은 대칭으로부터 포물선 $y=\dfrac{x^2-1}{2}$와 직선 $y=x$, y축으로 둘러싸인 부분의 면적의 8배이다.

구간 $1-\sqrt{2}\leq x\leq 0$에서 포물선 $y=\dfrac{x^2-1}{2}$는 직선 $y=x$ 아래쪽에 있으므로 정적분을

이용하여 구하는 면적을 계산하면

$$8\times\int_{1-\sqrt{2}}^{0}\left(x-\frac{x^2-1}{2}\right)dx=8\times\left[-\frac{x^3}{6}+\frac{x^2}{2}+\frac{x}{2}\right]_{1-\sqrt{2}}^{0}=8\times\frac{4\sqrt{2}-5}{6}=\frac{16\sqrt{2}-20}{3}$$

이다.

[문제 2]

제시문에서와 같이 m개의 비트를 송신했을 때 간섭에 의해 변화하는 비트의 개수는 이항분포 B(m, p)를 따름을 알 수 있다. 즉, X를 이항분포 B(m, p)를 따르는 이산확률변수라 하면 m개의 비트를 송신했을 때 간섭에 의해 k개의 비트가 변화할 확률은 $P(X=k)=\binom{m}{k}p^k(1-p)^{m-k}$**이다.**

m**번 반복해서 보낸 비트를 수신기가 잘못 최종결정할 경우는 m개의 비트 중 $n+1$개 이상의 비트가 간섭에 의해 변화한 경우이다. (단, $m=2n+1$이라 하자) 따라서 m-반복 코드의 최종결정 오류 확률은**

$$P(X\geq n+1)=P(X=n+1)+P(X=n+2)+\cdots+P(X=m)$$

$$=\binom{m}{n+1}p^{n+1}(1-p)^{m-(n+1)}+\binom{m}{n+2}2p^{n+2}(1-p)^{m-(n+2)}+\cdots+\binom{m}{m}p^m(1-p)^0$$

이다.

(1) $m=3,\ p=0.1$**인 경우이다. 위와 같이 최종 결정 오류가 발생할 확률은**

$\binom{3}{2}\times0.1^2\times0.9+\binom{3}{3}\times0.1^3=0.028$**이다.**

(2) $m=3,\ p=0.2$**인 경우이다. 최종 결정 오류가 발생할 확률은**

$\binom{3}{2}\times0.2^2\times0.8+\binom{3}{3}\times0.2^3=0.104$**이다.**

(1)에서 구한 확률과의 비는 $\frac{0.104}{0.028}=3.7142\ldots$**이고 소수점 둘째 자리에서 반올림하면** 3.7**이다.**

(3) $p=0.2,\ m=5,\ 7,\ 9$**인 각 경우 최종 결정 오류가 발생할 확률을 문제에서 주어진 표를 이용하여 대략 구하여 (1)에서 구한 값** 0.028**과 비교한다.**

$m=5,\ p=0.2$**일 때, 최종 결정 오류가 발생할 확률은**

$\binom{5}{3}\times0.2^3\times0.8^2+\binom{5}{4}\times0.2^4\times0.8^1+\binom{5}{5}\times0.2^5\times0.8^0$**이다.**

$\binom{5}{3}\times0.2^3\times0.8^2=0.0512>0.028$**이므로 이 확률값은** 0.028**보다 크다.**

마찬가지로 $m=7,\ p=0.2$**일 때, 최종 결정 오류가 발생할 확률은**

$\binom{7}{4}\times 0.2^4\times 0.8^3+\binom{7}{5}\times 0.2^5\times 0.8^2+\binom{7}{6}\times 0.2^6\times 0.8^1+\binom{7}{7}\times 0.2^7\times 0.8^0$**인데**

$\binom{7}{4}\times 0.2^4\times 0.8^3=0.028672>0.028$**이므로 이 확률값은** 0.028**보다 크다.**

$m=9,\ p=0.2$**일 때, 최종 결정 오류가 발생할 확률은**

$\binom{9}{5}\times 0.2^5\times 0.8^4+\binom{9}{6}\times 0.2^6\times 0.8^3+\binom{9}{7}\times 0.2^7\times 0.8^2+\binom{9}{8}\times 0.2^8\times 0.8^1+\binom{9}{9}\times 0.2^9\times 0.8^0$**이다.**

문제에서 주어진 표를 이용하여 계산하면

$\binom{9}{5}\times 0.2^5\times 0.8^4+\binom{9}{6}\times 0.2^6\times 0.8^3=0.019\ldots$**이다.**

$\binom{9}{7}\times 0.2^7\times 0.8^2=2.95..\times 10^{-4}$**이고 마지막 두 항은 이 값보다도 작으므로**

최종 결정 오류가 발생할 확률은 $0.019\ldots+3\times(3\times 10^{-4})<0.020\ldots$**보다 작다.**
따라서 (1)에서 구한 값 0.028**보다 작아지는** m**의 최솟값은** $m=9$**이다.**

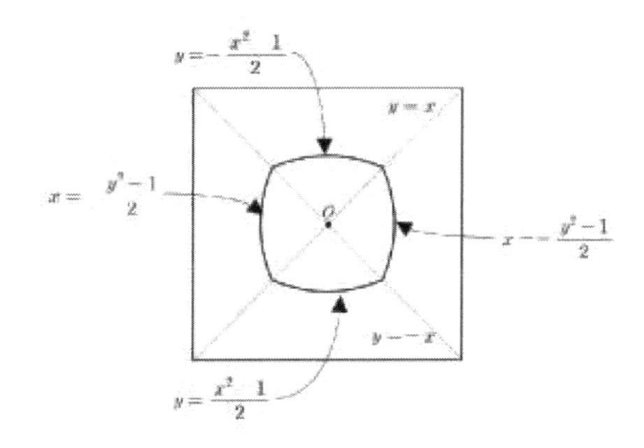

(1) $\frac{m}{n}$**이 문제에서 구하는 분수라면** $\frac{m}{n}\le c<\frac{m+1}{n}$**이다. 즉,** $m\le nc<m+1$**이므로,**

$m=[nc]$**이고,** $\frac{m}{n}=\frac{[nc]}{n}$**이 된다.**

(2) 줄간격이 $\frac{1}{n}$**인 모눈종이에 함수의 그래프를 그렸다고 생각하자.**

x**축상의 두 점** $a,\ b$**사이에는 길이** $\frac{1}{n}$**인 작은 구간이** $n(b-a)$**개 있다.**
k**번째 소구간 위쪽의 정사각형(즉, 모눈종이의 칸) 중 그래프와 만나는 가장 아래쪽의 정사각형은 (1)에 의해 밑변의 높이(즉,** y**좌표)가** $\frac{[nm_k]}{n}$**이고, 가장 위쪽의 정사각형은 밑**

변의 높이가 $\frac{[nM_k]}{n}$이 되어 그래프와 만나는 정사각형의 개수는 $[nM_k]-[nm_k]+1$이다. k번째 소구간 위쪽의 정사각형들 중 그래프와 만나지 않고 그 아래쪽에 있는 것들은 위에서 구한 밑변의 높이가 $\frac{[nm_k]}{n}$인 정사각형 아래쪽의 정사각형들이므로 개수는 $[nm_k]$이다.

따라서, $s(n)=\sum_{k=1}^{n(b-a)}([nM_k]-[nm_k]+1)$, $t(n)=\sum_{k=1}^{n(b-a)}[nm_k]$이다.

(3) 소구간에서 증가하는 함수는 최솟값을 소구간의 왼쪽 끝점에서, 최댓값을 오른쪽 끝점에서 가진다. 감소할 때는 반대이다. k번째 소구간은 $\left[\frac{k-1}{n},\ \frac{k}{n}\right](k=1,\ 2,\ \cdots,\ 3n)$이므로 주어진 함수의 증가, 감소를 고려하면 각 소구간에서 최댓값, 최솟값은 아래와 같다.

$$M_k=\begin{cases}\frac{2k}{n} & 1\le k\le n\\ -\frac{k-1}{2n}+\frac{5}{2} & n+1\le k\le 3n\end{cases}\qquad [nM_k]=\begin{cases}2k & 1\le k\le n\\ \left[\frac{-k+1+5n}{2}\right] & n+1\le k\le 3n\end{cases}$$

$$m_k=\begin{cases}\frac{2(k-1)}{n} & 1\le k\le n\\ -\frac{k}{2n}+\frac{5}{2} & n+1\le k\le 3n\end{cases}\qquad [nm_k]=\begin{cases}2(k-1) & 1\le k\le n\\ \left[\frac{-k-1)}{2}\right] & n+1\le k\le 3n\end{cases}$$

(2)에 의해서
$$\begin{aligned}s(n)&=\sum_{k=1}^{3n}([nM_k]-[nm_k]+1)\\&=\sum_{k=1}^{n}(2k-2(k-1)+1)+\sum_{k=n+1}^{3n}\left(\left[\frac{-k+1+5n}{2}\right]-\left[\frac{-k+5n}{2}\right]+1\right)\\&=\sum_{k=1}^{n}3+\sum_{k=n+1}^{3n}\left(\left[\frac{-k+1+5n}{2}\right]-\left[\frac{-k+5n}{2}\right]\right)+\sum_{k=n+1}^{3n}1\end{aligned}$$
이다.

$\sum_{k=1}^{n}3=3n$, $\sum_{k=n+1}^{3n}1=2n$이고

$$\begin{aligned}&\sum_{k=n+1}^{3n}\left(\left[\frac{-k+1+5n}{2}\right]-\left[\frac{-k+5n}{2}\right]\right)\\&=\left(\left[\frac{4n}{2}\right]-\left[\frac{4n-1}{2}\right]\right)+\left(\left[\frac{4n-1}{2}\right]-\left[\frac{4n-2}{2}\right]\right)\\&\qquad+\left(\left[\frac{4n-2}{2}\right]-\left[\frac{4n-3}{2}\right]\right)+\cdots+\left(\left[\frac{2n+1}{2}\right]-\left[\frac{2n}{2}\right]\right)\\&=\left[\frac{4n}{2}\right]-\left[\frac{2n}{2}\right]=2n-n=n\end{aligned}$$

이다. (위 식의 두 번째 줄을 $2\times 2n$개의 항의 합으로 볼 때, 중간의 항들은 연이은 두 항

씩 서로 상쇄되어 첫 항과 마지막 항만 남는다.)

따라서, $s(n)=6n$**이다.**

마찬가지로, (2)에 의해

$t(n)=\sum_{k=1}^{3n}[nm_k]=\sum_{k=1}^{n}2(k-1)+\sum_{k=n+1}^{3n}\left[\frac{-k+5n}{2}\right]$**이다.**

$$\begin{aligned}\sum_{k=n+1}^{3n}\left[\frac{-k+5n}{2}\right]&=\left[\frac{4n-1}{2}\right]+\left[\frac{4n-2}{2}\right]+\left[\frac{4n-3}{2}\right]+\left[\frac{4n-4}{2}\right]+\cdots+\left[\frac{2n}{2}\right]\\&=\left[2n-\frac{1}{2}\right]+[2n-1]+\left[2n-1-\frac{1}{2}\right]+[2n-2]+\cdots+[n]\\&=(2n-1)+(2n-1)+(2n-2)+(2n-2)+\cdots+n\\&=\sum_{k=1}^{n}2(2n-k)\end{aligned}$$

이다. (위 식의 두 번째 줄에서 항은 $2n$**개이며, 가우스 기호 안의 값은** $\frac{1}{2}$**씩 줄어든다. 따라서 그 값은 세 번째 줄에서와 같이** $2n-1$, $2n-2$, $\cdots$, n**이 연달아 두 번씩 나타난다.)**

$\sum_{k=1}^{n}2(k-1)=2\sum_{k=1}^{n}k-\sum_{k=1}^{n}2=n(n+1)-2n=n^2-n$**이고**

$\sum_{k=1}^{n}2(2n-k)=\sum_{k=1}^{n}4n-2\sum_{k=1}^{n}k=4n^2-n(n+1)=3n^2-n$ **이므로,**

정리하면 $t(n)=4n^2-2n$**이다.**

(4) $\lim_{n\to\infty}\frac{s(n)}{n^2}=\lim_{n\to\infty}\frac{6n}{n^2}=0$, $\lim_{n\to\infty}\frac{t(n)}{n^2}=\lim_{n\to\infty}\frac{4n^2-2n}{n^2}=4$, $\lim_{n\to\infty}\frac{s(n)}{n}=\lim_{n\to\infty}\frac{6n}{n}=6$**이다.**

$t(n)$**은 그래프의 아래** x**축 위쪽의 정사각형들의 개수이고,** $\frac{1}{n^2}$**는 각 정사각형의 넓이이므로** $\frac{t(n)}{n^2}$**는 이 정사각형들의 넓이의 합이다. 그 극한** $\lim_{n\to\infty}\frac{t(n)}{n^2}$**은 그래프와** x**축 사이의 넓이이다. 실제로 그래프와** x**축 사이의 넓이를 계산하면 (문제의 그림에서 삼각형과 사다리꼴의 넓이의 합)** $\frac{1}{2}\times1\times2+2\times\frac{(2+1)}{2}=4$**이다.**

주어진 함수 그래프의 길이는 $(0,\ 0)$**과** $(1,\ 2)$**를 잇는 선분의 길이와** $(1,\ 2)$**와** $(3,\ 1)$**을 잇는 선분의 길이의 합이므로** $\sqrt{1+4}+\sqrt{4+1}=2\sqrt{5}$ **이고** $\lim_{n\to\infty}\frac{s(n)}{n}$**는 그래프의 길이를 나타내지 않는다.**

3. 2023학년도 홍익대 수시 논술 (오후)

[문제 1]

(1) 제시문의 (라)에서 정의된 S_4가 최솟값을 가질 때 반지름 r를 구하시오.

(2) 제시문의 (마)에서 정의된 M_4가 최솟값을 가질 때 반지름 r를 구하시오.

(3) 건물이 n개가 있다고 가정하고 제시문과 같이 원 모양의 트램 노선을 설치하려고 한다. 각 건물의 위치벡터 $\vec{x_1}$, $\vec{x_2}$, $\vec{x_3}$, …, $\vec{x_n}$과 트램 노선의 중심의 위치벡터 $\vec{c}=\frac{1}{n}\sum_{i=1}^{n}\vec{x_i}$가 주어졌을 때, 각 건물의 위치로부터 트램 노선까지의 최단 거리의 제곱의 합 $S_n=\sum_{i=1}^{n}d_i^2$이 최솟값을 가질 때 반지름 r를 $\vec{x_1}$, $\vec{x_2}$, $\vec{x_3}$, …, $\vec{x_n}$과 $\vec{c}$에 대한 식으로 나타내시오.

[문제 2]
(1) $t=6$에서 물 로켓이 머리와 추진체로 분리될 때, 머리의 높이 $y_2(6)$의 값을 구하시오.

(2) $t=12$에서 추진체 밑면의 높이 $y_1(12)$의 값을 구하시오.

(3) 추진체가 착륙한 시각 $t=t_2$에서 머리의 높이가 $y_2(t_2)=910\ \mathrm{m}$일 때, 돌풍이 발생한 시각 t_1을 구하시오.

[문제 3]
(1) 사건 A_1과 A_2가 일어날 확률 $\mathrm{P}(A_1)$과 $\mathrm{P}(A_2)$를 각각 구하시오.

(2) 사건 A_n이 일어날 확률 $\mathrm{P}(A_n)$을 구하시오.

(3) 정의역이 $\{x|x>1\}$인 함수 $f(x)=\left(1-\frac{1}{x}\right)^x$에 대하여 $\frac{d}{dx}\ln f(x)$를 구하시오.

(4) 제시문의 (나)와 문항 (3)의 결과를 이용하여 모든 자연수 n에 대하여 $\mathrm{P}(A_{n+1})>\mathrm{P}(A_n)$임을 보이시오.

(5) 홍익이가 n일 동안 적어도 한 번 이상 $\frac{1}{n}$시간보다 짧은 시간 동안 버스를 기다리는 사건을 B_n이라고 하자. 사건 B_n이 일어날 확률을 $\mathrm{P}(B_n)$이라고 할 때, 모든 자연수 n에 대하여 $\mathrm{P}(B_n)>\frac{1}{2}$임을 보이시오.

[문제 1]

(1) 트램 노선의 중심의 위치벡터는 $\vec{c}=\frac{1}{4}\left(\overrightarrow{x_1}+\overrightarrow{x_2}+\overrightarrow{x_3}+\overrightarrow{x_4}\right)=(3,\ 2)$이다.

노선의 중심으로부터 각 건물까지의 거리는 각각 $\left|\overrightarrow{x_1}-\vec{c}\right|=|(1,\ 2)|=\sqrt{5}$, $\left|\overrightarrow{x_2}-\vec{c}\right|=|(2,\ -2)|=2\sqrt{2}$, $\left|\overrightarrow{x_3}-\vec{c}\right|=|(-1,\ 1)|=\sqrt{2}$, $\left|\overrightarrow{x_4}-\vec{c}\right|=|(-2,\ -1)|=\sqrt{5}$ 이다.

따라서 각 건물로부터 트램 노선까지의 최단 거리는 각각 $d_1=|\sqrt{5}-r|$, $d_2=|2\sqrt{2}-r|$, $d_3=|\sqrt{2}-r|$, $d_4=|\sqrt{5}-r|$이다. 최단 거리의 제곱의 합 $S_4=\left(d_1^2+d_2^2+d_3^2+d_4^2\right)$는

$$S_4=(\sqrt{5}-r)^2+(2\sqrt{2}-r)^2+(\sqrt{2}-r)^2+(\sqrt{5}-r)^2$$
$$=4r^2-(6\sqrt{2}+4\sqrt{5})r+20$$

이다.

S_4는 r에 대한 이차함수이다. 그래프가 아래로 볼록인 포물선이므로 $\frac{d}{dr}S_4=0$인 $r=\frac{3\sqrt{2}+2\sqrt{5}}{4}$에서 최소이다.

(또는, $S_4=4\left(r-\frac{3\sqrt{2}+2\sqrt{5}}{4}\right)^2+\frac{21-6\sqrt{10}}{2}$와 같이 정리하여 최소가 되는 r을 구한다.)

(2) 트램 노선의 중심으로부터 가장 가까운 건물과 먼 건물은 각각 와우관, 공학관이며, 중심으로부터의 거리는 각각 $\sqrt{2}$, $2\sqrt{2}$이다. 이 두 거리의 평균인 $r=\frac{3}{2}\sqrt{2}$을 기준으로 $r\le\frac{3}{2}\sqrt{2}$인 경우, (1)에서 구한 트램 노선으로부터 각 건물까지의 거리 d_1, d_2, d_3 중 $d_2=|2\sqrt{2}-r|$가 최대이다. 즉, 이 경우 $M_4=d_2=|2\sqrt{2}-r|=2\sqrt{2}-r$이다. $r\ge\frac{3}{2}\sqrt{2}$인 경우, $d_3=|\sqrt{2}-r|$가 최대가 된다. 즉, 이 경우 $M_4=d_3=|\sqrt{2}-r|=r-\sqrt{2}$이다.

그래프를 그려보면 $r=\frac{3}{2}\sqrt{2}$는 에서 최솟값을 가진다.

(3) (1)에서와 같이 생각한다.

각 건물의 위치 $\overrightarrow{x_1}$, $\overrightarrow{x_2}$, $\overrightarrow{x_3}$, …, $\overrightarrow{x_n}$로부터 트램노선의 중심 $\vec{c}$까지의 거리는 $\left|\overrightarrow{x_i}-\vec{c}\right|$이고, 각 건물에서 노선까지의 최단 거리는 $d_i=\left|\left|\overrightarrow{x_i}-\vec{c}\right|-r\right|$이다. $(i=1,\ 2,\ \cdots,\ n)$최단 거리의 제곱의 합은

$$S_n=\sum_{i=1}^{n}d_i^2=\sum_{i=1}^{n}\left(\left|\overrightarrow{x_i}-\vec{c}\right|-r\right)^2=nr^2-2r\sum_{i=1}^{n}\left|\overrightarrow{x_i}-\vec{c}\right|+\sum_{i=1}^{n}\left|\overrightarrow{x_i}-\vec{c}\right|^2$$

이다.

S_n는 r에 대한 이차함수이다. 그래프가 아래로 볼록인 포물선이므로 $\frac{d}{dr}S_n = 0$인 $r = \frac{1}{n}\sum_{i=1}^{n}\left|\overrightarrow{x_i} - \overrightarrow{c}\right|$에서 최소이다.

(또는, $S_n = n\left(r - \frac{1}{n}\sum_{i=1}^{n}\left|\overrightarrow{x_i} - \overrightarrow{c}\right|\right)^2 + \sum_{i=1}^{n}\left|\overrightarrow{x_i} - \overrightarrow{c}\right|^2 - \frac{1}{n}\left(\sum_{i=1}^{n}\left|\overrightarrow{x_i} - \overrightarrow{c}\right|\right)^2$ 와 같이 정리하여 최소가 되는 r을 구한다.)

[문제 2]

(1) $\frac{dy_2}{dt} = v_2$이므로 $y_2(6)$는 다음과 같이 $v_2(t)$를 적분하여 구할 수 있다.

$$y_2(6) = y_2(0) + \int_0^6 v_2(t)dt = 10 + \int_0^6 \left(20t - \frac{5}{2}t^2\right)dt$$
$$= 10 + \left[10t^2 - \frac{5}{6}t^3\right]_0^6 = 10 + 360 - 180 = 190\text{m}$$

(2) 마찬가지로 $\frac{dy_1}{dt} = v_1$이므로 $y_1(12)$는 다음과 같이 $v_1(t)$를 적분하여 구할 수 있다.

$$y_1(12) = y_1(0) + \int_0^{12} v_1(t)dt = \int_0^6 \left(20t - \frac{5}{2}t^2\right)dt + \int_6^9 (90 - 10t)dt + \int_9^{12}\left\{-10 + \frac{10}{27}(12-t)^3\right\}dt$$
$$= \left[10t^2 - \frac{5}{6}t^3\right]_0^6 + \left[90t - 5t^2\right]_6^9 + \left[-10t - \frac{5}{54}(12-t)^4\right]_9^{12}$$
$$= (360 - 180) + \{(810 - 405) - (540 - 180)\} + \left\{(-120 - 0) - \left(-90 - \frac{15}{2}\right)\right\} = \frac{405}{2}\ \text{m}$$

(3) $12 \le t \le t_2$에서 $v_1(t) = -10$이고 문항 (2)에서 $y_1(12) = \frac{405}{2}$이므로 $y_1(t_2) = 0$인 시간 t_2는 $0 = y_1(t_2) = y_1(12) + \int_{12}^{t_2} v_1(t)dt = \frac{405}{2} - 10(t_2 - 12)$로부터 $t_2 = 12 + \frac{405}{20} = \frac{129}{4}$이다.

문항 (1)에서 $y_2(6) = 190$이고 주어진 조건에 의해 $y_2(t_2) = 910$이므로

$$910 = y_2(t_2) = y_2(6) + \int_6^{t_2} v_2(t)dt = y_2(6) + \int_6^{t_1} v_2(t)dt + \int_{t_1}^{t_2} v_2(t)dt$$
$$= 190 + \int_6^{t_1} 30dt + \int_{t_1}^{t_2} \frac{30}{t_2 - t_1}(t_2 - t)dt$$
$$= 190 + 30(t_1 - 6) + \left[-\frac{15}{t_2 - t_1}(t_2 - t)^2\right]_{t_1}^{t_2} = 190 + 30(t_1 - 6) + \frac{15}{t_2 - t_1}(t_2 - t_1)^2$$
$$= 10 + 15t_1 + 15t_2$$

로부터 $t_1 = \frac{900}{15} - t_2 = 60 - \frac{129}{4} = \frac{111}{4}$이다.

[문제 3]

(1) 학교 버스는 8시와 9시 사이에 도착하므로, $n=1$일 때 홍익이가 $\frac{1}{n}=1$시간보다 더 기다리는 사건 A_1이 일어날 확률은 $\mathrm{P}(A_1)=0$이다. $n=2$일 때 첫날, 둘째날 각각 홍익이가 $\frac{1}{n}=\frac{1}{2}$시간보다 더 기다리는 사건의 확률은 각각 $\frac{1}{2}$이고, 두 사건은 서로 독립이므로 A_2가 일어날 확률은 $\mathrm{P}(A_2)=\frac{1}{2}\cdot\frac{1}{2}=\frac{1}{4}$이다.

(2) (1)에서와 같이 생각한다. 임의의 등교일에 홍익이가 $\frac{1}{n}$시간보다 긴 시간 동안 버스를 기다리는 사건의 확률은 $1-\frac{1}{n}$이고, 각각의 등교일에 홍익이가 $\frac{1}{n}$시간보다 긴 시간 동안 버스를 기다리는 사건은 서로 독립이다. 따라서, 독립시행의 확률에 따라 구하는 확률은 $\mathrm{P}(A_n)=\left(1-\frac{1}{n}\right)^n$이다.

(3) 정의역이 $\{x|x>1\}$인 함수 $f(x)=\left(1-\frac{1}{x}\right)^x$에 대하여 $\ln f(x) = x\ln\left(1-\frac{1}{x}\right)$이다. 따라서, 함수 $\ln f(x)$을 x에 대하여 미분하면

$$\frac{d}{dx}\ln f(x) = \ln\left(1-\frac{1}{x}\right) + x\cdot\frac{x}{x-1}\cdot\frac{1}{x^2} = \ln\left(1-\frac{1}{x}\right)+\frac{1}{x-1}$$

을 얻는다.

(4) 모든 실수 $x>1$에 대하여 $\frac{x}{x-1}>1$을 만족하므로, 제시문 (나)의 (c)를 활용하면, $\ln\left(\frac{x}{x-1}\right) < \frac{x}{x-1} - 1 = \frac{1}{x-1}$이다.

위의 부등식과 문항 (3)의 결과로부터

$$\frac{d}{dx}\ln f(x) = \ln\left(\frac{x-1}{x}\right) + \frac{1}{x-1} = -\ln\left(\frac{x}{x-1}\right) + \frac{1}{x-1} > 0$$

이다.

즉, 함수 $\ln f(x)$은 구간 $(1, \infty)$에서 증가하는 함수이다. 따라서, 제시문 (나)의 로그함수의 성질 (b)를 활용하여 함수 $f(x)$도 구간 $(1, \infty)$에서 증가하는 함수임을 알 수 있다.

문항 (1)의 결과로부터 $\mathrm{P}(A_1)=0$, $\mathrm{P}(A_2)=\frac{1}{4}$이므로 $\mathrm{P}(A_1)<\mathrm{P}(A_2)$이다. 또한, 1보다 큰

자연수 n에 대하여 확률 $\mathrm{P}(A_n)$은 함숫값 $f(n)$과 같고, 함수 $f(x)$가 구간 $(1,\ \infty)$에서 증가하는 함수이므로, $\mathrm{P}(A_{n+1})>\mathrm{P}(A_n)$이다. 따라서, 모든 자연수 n에 대하여 $\mathrm{P}(A_{n+1})>\mathrm{P}(A_n)$이다.

(5) 사건 B_n은 사건 A_n의 여사건이므로, $\mathrm{P}(B_n)=1-\mathrm{P}(A_n)$이다. 따라서, $\mathrm{P}(A_n)<\frac{1}{2}$이면 $\mathrm{P}(B_n)>\frac{1}{2}$이므로, 모든 자연수 n에 대하여 $\mathrm{P}(A_n)<\frac{1}{2}$임을 보이면 충분하다.

수열 $\{\mathrm{P}(A_n)\}$의 극한값은

$$\lim_{n\to\infty}\mathrm{P}(A_n)=\lim_{n\to\infty}\left(1-\frac{1}{n}\right)^n=\lim_{x\to0+}(1-x)^{\frac{1}{x}}=\lim_{x\to0-}(1+x)^{-\frac{1}{x}}=\lim_{x\to0}\frac{1}{(1+x)^{\frac{1}{x}}}=\frac{1}{e}$$

이다.

만약 어떤 자연수 N에 대하여 $\mathrm{P}(A_N)\geq\frac{1}{2}$이라면, 문항 (4)의 결과에 의하여 $\frac{1}{2}\leq\mathrm{P}(A_N)<\mathrm{P}(A_{N+1})<\mathrm{P}(A_{N+2})<\cdots$이므로, 수열의 극한의 대소관계에 의해 $\lim_{n\to\infty}\mathrm{P}(A_n)=\frac{1}{e}\geq\frac{1}{2}$이다. 이는 제시문 (나)의 (a)에 모순이므로, 모든 자연수 n에 대하여 $\mathrm{P}(A_n)<\frac{1}{2}$이다

4. 2022학년도 홍익대 수시 논술 (오전)

[문제 1] [20점]

(1) <그림 2>에서 $\theta=\frac{\pi}{3}$일 때 A와 C' 사이의 거리를 구하시오.

(2) <그림 2>에서 $\theta=\frac{\pi}{3}$일 때 C'을 지나는 막대 2의 끝의 속력을 구하시오.

(3) <그림 2>에서 $\theta=\frac{\pi}{3}$일 때 C'을 지나는 막대 2의 끝의 가속도 크기를 구하시오.

[문제 2] [20점]

(1) 송신기 A가 0을 보낼 확률, 1을 보낼 확률을 각각 P(0보냄), P(1보냄)이라 하자. 수신기 B에서 오류가 일어날 확률은 조건부 확률을 이용하여 다음과 같이 나타낼 수 있다:

$$P(\text{오류})=P(0\text{결정}\mid1\text{보냄})\times P(1\text{보냄})+P(1\text{결정}\mid0\text{보냄})\times P(0\text{보냄})$$

송신기 A와 수신기 B사이의 거리 $r=1$ km일 때 수신기 B에서 오류가 일어날 확률을 아래의 표준정규분포표 <표 1>을 이용하여 계산하시오.

z	$P(0 \leq Z \leq z)$
0.25	0.10
0.50	0.19
0.75	0.27
1.00	0.34
1.25	0.39
1.50	0.43
1.75	0.46
2.00	0.48

<표 1>

(2) 수신기 B에서 오류가 일어날 확률을 거리 $r=1$ km와 거리 $r=2$ km인 두 경우에 대하여 각각 계산하시오. 그리고, $r=1$ km인 경우 오류가 일어날 확률의 제곱과 $r=2$ km인 경우 오류가 일어날 확률 각각을 소수점 셋째 자리에서 반올림하여 소수점 둘째 자리까지 구하고, 그 둘의 크기를 비교하시오.

(3) 직선 위의 A-B-C로 이루어진 릴레이 통신을 생각해 보자. A는 B에 0 또는 1을 보내고 B는 A로부터 받은 신호 X를 이용하여 A가 무엇을 보냈는지를 결정한다. 그리고, 릴레이 B는 결정된 신호 (0 또는 1)를 C에게 보낸다. 이때, C가 B로부터 받은 신호의 확률분포는 제시문에서 언급된 수신기 B가 송신기 A로부터 받은 신호의 확률분포와 동일하다. A와 B사이의 거리는 1 km이고 B와 C사이의 거리 또한 1 km라고 하자. 이때, A로부터 2 km떨어진 수신기 C에서 오류가 일어날 확률을 표준정규분포표 <표 1>을 이용하여 소수점 둘째 자리까지 구하시오. 이를 (2)에서 구한 거리가 $r=2$ km일 때 수신기 B에서 오류가 일어날 확률과 비교하시오.

[문제 3] [20점]

(1) <그림 1>에서 앞바퀴 회전 반지름과 뒷바퀴 회전 반지름을 각각 θ와 l로 나타내시오.

(2) <그림 2>에서 각도 θ_1과 각도 θ_2의 관계식을 l과 w를 사용하여 구하시오.

(3) (2)번과 같은 조건으로 자동차가 움직일 때, 바퀴가 도로에서 벗어나지 않고 지나갈 수 있는 도로의 최소 폭 s를 l, w, θ_2만을 사용하여 구하시오.

[문제 1]

(1) $\theta=\frac{\pi}{3}$**이면** $\triangle AB'P$**는 정삼각형이므로 아래 오른쪽 그림과 같이** $\triangle AB'C'$**은 한 각이** $\frac{\pi}{3}$**인 직각삼각형이 된다. 따라서** A**와** C'**사이의 거리는** $\sqrt{3}$**이다.**

(별해) $\triangle ABAB'$**는 한변의 길이가 1인 정삼각형이므로 아래 왼쪽 그림에서** $\overrightarrow{PB'}=\left(\frac{1}{2}, \frac{\sqrt{3}}{2}\right)$, $\overrightarrow{PC'}=\left(-\frac{1}{2}, -\frac{\sqrt{3}}{2}\right)$**이다.** $\overrightarrow{PA}=(1, 0)$**이므로** A**와** C'**사이의 거리는** $\sqrt{3}$**이다.**

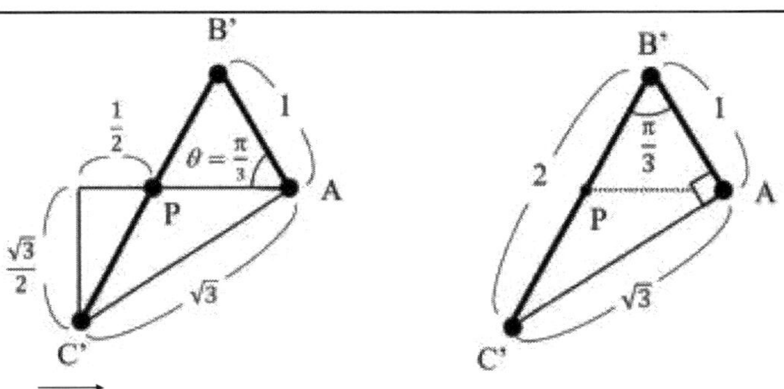

(2) <그림 2>에서 $\overrightarrow{AB'}=(-\cos\theta,\ \sin\theta)$**이다. 두 막대가 연결된 점** B′**은 점** A**를 중심으로 원운동을 하는데 속력이** 1**이므로** $\theta=t$**이다.**

$\triangle AB'P$**는 이등변 삼각형이므로** $\phi=\frac{1}{2}(\pi-\theta)$**이다. 따라서 점** B′**을 지나고 선분** PA**와 수직인 직선과 선분** B′C′**사이의 각도는** $\phi-\left(\frac{\pi}{2}-\theta\right)=\frac{\theta}{2}$**이고 선분** B′C′**의 길이는** 2**이므로**

$$\overrightarrow{B'C'}=\left(-2\sin\frac{\theta}{2},\ -2\cos\frac{\theta}{2}\right)$$

이다.

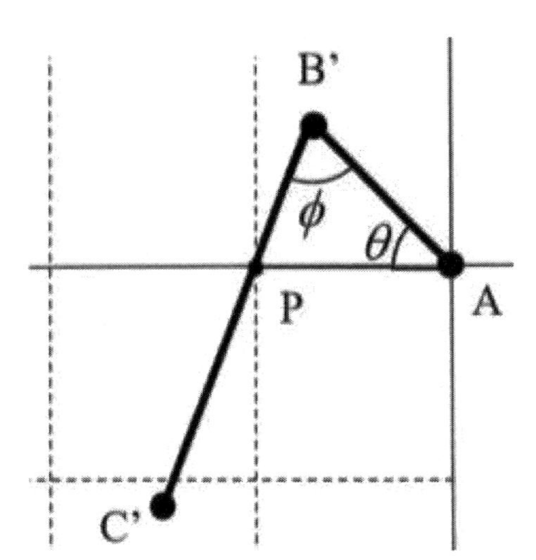

A**점을 원점으로 하고 직선** PA**를** x**축으로 하는 좌표에 대하여 막대** 2**의 끝** C'**의 좌표를** $(x,\ y)$**라 하면**

$$\overrightarrow{AC'}=\overrightarrow{AB'}+\overrightarrow{B'C'}=\left(-\cos\theta-2\sin\frac{\theta}{2},\ \sin\theta-2\cos\frac{\theta}{2}\right)$$

이므로

$$x=-\cos t-2\sin\frac{t}{2},\ y=\sin t-2\cos\frac{t}{2}$$

이다.

$\frac{dx}{dt}=\sin t-\cos\frac{t}{2},\quad \frac{dy}{dt}=\cos t+\sin\frac{t}{2}$ **이므로**

막대 2의 끝 C'의 속력은 다음과 같다.

$$\sqrt{\left(\frac{dx}{dt}\right)^2+\left(\frac{dy}{dt}\right)^2}=\sqrt{\left(\sin t-\cos\frac{t}{2}\right)^2+\left(\cos t+\sin\frac{t}{2}\right)^2}$$

$$=\sqrt{\sin^2 t+\cos^2 t+\sin^2\frac{t}{2}+\cos^2\frac{t}{2}-2\left(\sin t\cos\frac{t}{2}-\cos t\sin\frac{t}{2}\right)}$$

$$=\sqrt{2-2\sin\frac{t}{2}}$$

$\theta=\frac{\pi}{3}$ **(즉, $t=\frac{\pi}{3}$)일 때 속력을 구하면** $\sqrt{2-2\sin\frac{\pi}{6}}=1$**이다.**

(3) 막대 2의 끝 C'의 가속도는 (2)의 결과로부터

$\left(\frac{d^2x}{dt^2},\ \frac{d^2y}{dt^2}\right)=\left(\cos t+\frac{1}{2}\sin\frac{t}{2},\ -\sin t+\frac{1}{2}\cos\frac{t}{2}\right)$**이고, 가속도의 크기는 다음과 같다.**

$$\sqrt{\left(\frac{d^2x}{dt^2}\right)^2+\left(\frac{d^2y}{dt^2}\right)^2}=\sqrt{\left(\cos t+\frac{1}{2}\sin\frac{t}{2}\right)^2+\left(\sin t-\frac{1}{2}\cos\frac{t}{2}\right)^2}$$

$$=\sqrt{\sin^2 t+\cos^2 t+\frac{1}{4}\left(\sin^2\frac{t}{2}+\cos^2\frac{t}{2}\right)-\left(\sin t\cos\frac{t}{2}-\cos t\sin\frac{t}{2}\right)}$$

$$=\sqrt{\frac{5}{4}-\sin\frac{t}{2}}$$

$\theta=\frac{\pi}{3}$ **(즉, $t=\frac{\pi}{3}$)일 때 가속도의 크기를 구하면** $\sqrt{\frac{5}{4}-\sin\frac{\pi}{6}}=\frac{\sqrt{3}}{2}$**이다.**

[문제 2]

(1) 정규분포 $N(\mu,\ \sigma^2)$를 따르는 확률변수 X에 대해 확률변수 $Z=\frac{X-\mu}{\sigma}$는 표준정규분포 $N(0,\ 1)$를 따른다. 송신기 A가 1을 보냈을 때, 수신기 B가 받은 신호 X는 정규분포 $N(r^{-2},\ 0.5^2)$을 따르므로

$$P(0\text{결정}\mid 1\text{보냄})=P(X\le 0.5r^{-2})$$

$$=P(0.5Z+r^{-2}\le 0.5r^{-2})=P(Z\le -r^{-2})=P(Z>r^{-2})$$

이다.

마찬가지로 A가 0을 보냈을 때, B가 받은 신호 X는 $N(0,\ 0.5^2)$을 따르므로

$$P(1\text{결정}\mid 0\text{보냄})=P(X>0.5r^{-2})=P(0.5Z>0.5r^{-2})=P(Z>r^{-2})$$

이다. 송신기 A가 0과 1을 보내는 확률을 각각 0.5이므로 오류가 일어날 확률은 주어진 식으로부터

$$P(\text{오류})=P(0\text{결정}\mid 1\text{보냄})\times P(1\text{보냄})+P(1\text{결정}\mid 0\text{보냄})\times P(0\text{보냄})$$

$$=P(Z>r^{-2})\times 0.5+P(Z>r^{-2})\times 0.5=P(Z>r^{-2})$$

이다.

$r=1$일 때, 이 확률은 표준정규분포표로부터 $P(Z>1)=0.5-P(0\le Z\le 1)=0.16$이다.

(2) (1)에서 구한 식으로부터

$\mathrm{r}=2\mathrm{km}$일 때 오류가 일어날 확률은 $\mathrm{P(Z>0.25)}=0.4$가 된다.

$\mathrm{r}=1\mathrm{km}$일 때 확률의 제곱의 값은 $0.16^2=0.0256$이다.

둘을 비교하면 $r=2$일 때 오류를 일으킬 확률이 더 크다.

(3) 송신기-수신기 A-B와 B-C 각각에서 오류가 일어날 수 있다. 따라서 C에서 오류가 일어나는 경우는 (즉, C에서 A가 보낸 신호와 반대로 결정하는 경우는)

A-B에서 오류가 발생하고 B-C에서 무오류인 경우와

A-B에서 무오류이고 B-C에서 오류가 발생하는 경우이다.

A-B와 B-C에서 오류가 일어나는 두 사건은 서로 독립사건이며,

여사건의 확률에 의해 (무오류일 확률) $=1-$ (오류일 확률)

이므로 A-B에서 오류가 일어날 확률을 p, B-C에서 오류가 일어날 확률을 q라 하면

(수신기 C에서 오류가 일어날 확률) $=p(1-q)+(1-p)q$

이다. 송신기로부터 거리가 r인 수신기에서 오류가 일어날 확률을 (1)에서와 같이 구하면

$$P(\text{오류})=P(0\text{결정}\mid 1\text{보냄})\times P(1\text{보냄})+P(1\text{결정}\mid 0\text{보냄})\times P(0\text{보냄})$$

$$=P(Z>r^{-2})\times P(1\text{보냄})+P(Z>r^{-2})\times P(0\text{보냄})$$

$$=P(Z>r^{-2})\times\{P(1\text{보냄})+P(0\text{보냄})\}=P(Z>r^{-2})$$

이다. 따라서 A-B에서 오류가 일어날 확률 p와 B-C에서 오류가 일어날 확률 q는 모두 $P(Z>1)=0.16$이고, 위에서 구한 식에 의해

(수신기 C에서 오류가 일어날 확률) $=p(1-q)+(1-p)q=2\times 0.16\times 0.84=0.27$

이다. 이 확률은 (2)에서 구한 송신기-수신기의 거리가 2 km일 때 수신기에서 오류가 일어날 확률 0.4보다 작다. 즉, A−C사이에 B가 있어서 신호를 중계할 때 오류가 발생할 확률이 더 작게 된다.

[문제 3]

(1) 각 바퀴의 진행 방향은 회전 반지름과 수직이다. 따라서 아래의 그림에서 앞바퀴의 진행 방향에 수직인 직선과 뒷바퀴의 진행 방향에 수직인 직선의 교점 O는 앞바퀴, 뒷바퀴가 각각 그리는 두 원의 공통의 중심이다. 그림에서 앞바퀴의 회전 반지름(빗변)은 $\overline{OA}=R_A$, 뒷바퀴의 회전 반지름(밑변)은 $\overline{OB}=R_B$이다.

직각삼각형 AOB의 높이는 두 바퀴 사이의 거리 l이고 $\angle AOB$는 앞바퀴의 진행 방향 각도 θ와 같으므로 $l=R_A\sin(\theta)=R_B\tan(\theta)$이다. 즉,

$$R_A=\frac{l}{\sin(\theta_1)},\ R_B=\frac{l}{\tan(\theta_1)}$$

이다.

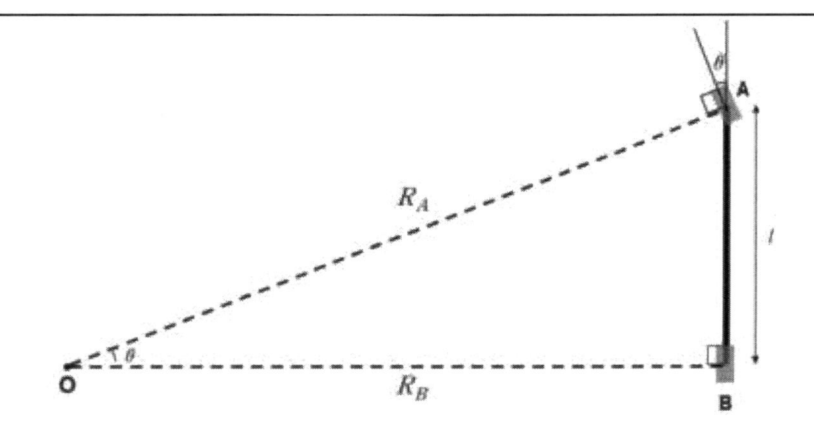

(2) 아래 그림에서와 같이 O를 중심으로 회전하는 자동차의 안쪽 앞바퀴 A, 안쪽 뒷바퀴 B, 바깥쪽 앞바퀴 C, 바깥쪽 뒷바퀴 D의 회전 반지름을 각각 R_A, R_B, R_C, R_D라 하자. 그림에서 $\theta_1 = \angle AOB$, $\theta_2 = \angle COD$라 하면, (1)에서와 같이

$$R_A = \frac{l}{\sin(\theta_1)},\ R_B = \frac{l}{\tan(\theta_1)},\ R_C = \frac{l}{\sin(\theta_2)},\ R_D = \frac{l}{\tan(\theta_2)}$$

이다.

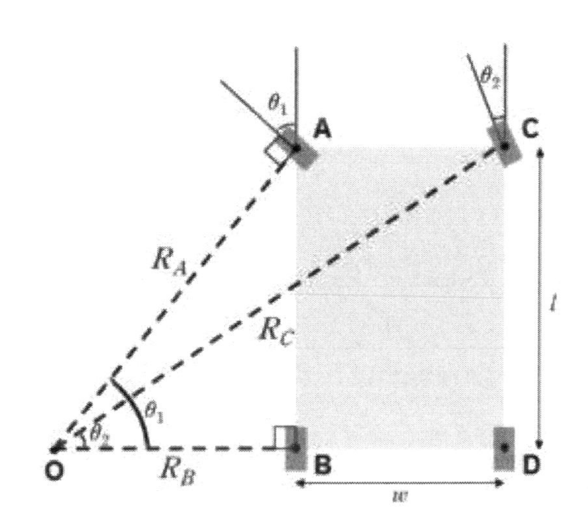

$R_D = R_B + w$이므로 $R_B = \frac{l}{\tan(\theta_1)}$, $R_D = \frac{l}{\tan(\theta_2)}$을 대입하여 정리하면 아래 식을 얻는다.

$$\frac{1}{\tan(\theta_2)} = \frac{1}{\tan(\theta_1)} + \frac{w}{l}$$

(3) 다음 그림에서 표시된 s가 문제에서 묻는 길의 최소 폭이다.

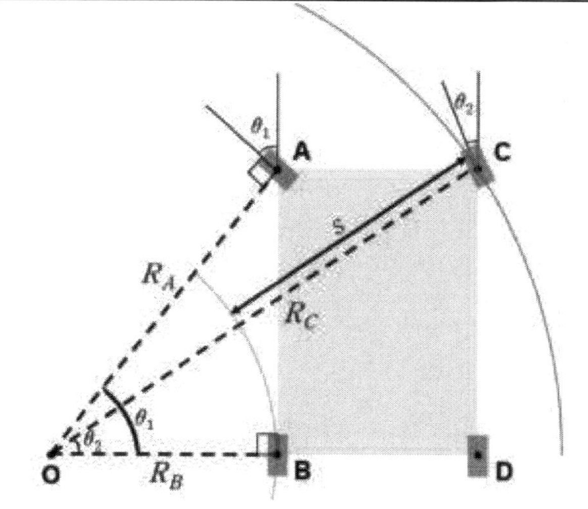

이는 가장 작은 회전 반지름을 가지는 안쪽 뒷바퀴 B와 가장 큰 회전 반지름을 가지는 바깥쪽 앞바퀴 C의 회전 반지름의 차이이다. 즉, $s=R_C-R_B$이다. (1), (2)에서 구한 $R_B=\dfrac{l}{\tan(\theta_1)}$, $R_C=\dfrac{l}{\sin(\theta_2)}$, $\dfrac{1}{\tan(\theta_2)}=\dfrac{1}{\tan(\theta_1)}+\dfrac{w}{l}$를 대입하여 정리하면 아래 식을 얻는다.

$$s=R_C-R_B=\frac{l}{\sin(\theta_2)}-\frac{l}{\tan(\theta_1)}$$

$$=\frac{l}{\sin(\theta_2)}-\frac{l}{\tan(\theta_2)}+w=\frac{l(1-\cos(\theta_2))}{\sin(\theta_2)}+w$$

5. 2022학년도 홍익대 수시 논술 (오후)

[문제 1] [20점]

(1) 완공 직후부터 창문을 열어 환기하기 시작하면 몇 시간 후 벤젠 농도가 실내공기질 권고기준을 만족하게 되는지 구하시오.

(2) 매일 일정한 t시간 동안 창문을 열어 환기한 후, 나머지 $24-t$시간 동안은 창문을 닫아 놓으려 한다. 완공 직후부터 벤젠 농도가 실내공기질 권고기준을 위반하는 시간의 총합을 최소화하려면 적어도 몇 시간 이상 매일 환기해야 하는지 구하시오.

(3) 완공 직후부터 2시간 동안 창문을 열어 환기한 후, 6시간 동안 창문을 닫아놓는 방식으로 창문 열고 닫기를 주기적으로 반복할 경우, 최소 몇 시간 후 입주가 가능한지 구하시오. (단, 입주 후에도 같은 방식으로 계속 환기하며, 벤젠 농도가 실내공기질 권고기준을 항상 만족해야 한다.)

[문제 2] [20점]

(1) [그림 3b]의 단면의 넓이를 $S(x)\mathrm{m}^2$라고 할 때, $S(x)$를 A와 x의 식으로 표현하시오. 이를 이용하여 물통 안의 물의 부피를 A와 a_1의 식으로 나타내시오.

(2) 놀이 기구가 정지하고 있을 때 물통 안의 수면의 높이가 2 m이고, 놀이 기구가 회전할 때 물통 안의 수면의 최저 높이가 $2-\frac{\sqrt{3}}{12}$ m일 때, A의 값을 구하시오.

(3) 놀이 기구가 회전할 때, 물통의 가장자리에서 물통의 수면과 지표면이 이루는 각의 크기는 [그림 2]의 점 Q에서 포물선의 접선과 r축이 이루는 각의 크기 θ_1으로 나타난다. 문항 (2)와 동일한 가정하에서 각의 크기 θ_1을 구하시오.

(4) 놀이 기구가 정지하고 있을 때 물통에 물을 가득 채우고 놀이 기구를 작동시키면, 놀이 기구가 회전하며 물통의 물이 움푹 파인 모양이 되며, 파인 만큼의 물이 물통에서 넘치게 된다. 이때 수면의 높이는 적절한 상수 a_3에 대하여 $h=Ar^2+a_3$을 따른다고 할 때, 넘치게 되는 물의 부피를 구하시오. 단, 상수 A의 값은 문항 (2)에서 구한 값과 같다.

(5) 홍익이가 들고 있는 물컵의 중심에서 수면이 지표면과 이루는 각의 크기 θ_2가 $60°$를 넘지않도록 하기 위한 문어 다리의 길이 (회전축으로부터 물컵의 중심까지의 거리)의 최댓값을 구하시오.

[문제 3] [20점]

(1) 장치의 전원을 켰을 때, [세로줄 수정] 직후, 첫 번째 세로줄에 오류가 남아있을 확률을 구하시오.

(2) $n \geq 3$인 경우, 확률 $\mathrm{P}(A)$를 n에 대한 식으로 나타내시오.

(3) $n=3$인 경우, 아래에 주어진 초기 상태 (c)는 A에 포함되고 B에는 포함되지 않는다. 반면, (d)는 A와 B에 모두 포함된다. 사건 $C=A-B$라 할 때, 확률 $\mathrm{P}(C)$를 구하시오.

○	×	×
×	○	×
×	×	○

(c)

×	×	×
×	○	×
×	×	○

(d)

(4) $n=3$인 경우, 확률 $\mathrm{P}(B)$를 구하시오.

(5) $n=4$인 경우, 확률 $\mathrm{P}(B)$를 구하시오.

[문제 1]

(1) 창문을 열어두었을 때 t시간 후 벤젠 농도(C)가 기준치 이하 ($30\mu\mathrm{g/m^3}$ 이하)로 내려

갔다면 $C = 150(0.4)^t \leq 30$**이다. 로그함수를 이용하여 이 부등식을 풀면**

$$(0.4)^t \leq 0.2$$

$$t \times \log 0.4 \leq \log 0.2$$

$$t \times \log \frac{4}{10} \leq \log \frac{2}{10}$$

$$t \times (\log 4 - \log 10) \leq \log 2 - \log 10$$

$$t \times (2\log 2 - \log 10) \leq \log 2 - \log 10$$

($\log 2 = 0.3$**으로 주어졌으므로** $\log 4$**를** $2\log 2$**로 변환하여 계산)**

$$t \times (2 \times 0.3 - 1) \leq 0.3 - 1$$

$$t \times (-0.4) \leq -0.7 \ (※\log 0.4 = -0.4,\ \log 0.2 = -0.7)$$

$t \geq 1.75$또는$\frac{7}{4}$이다.

즉, 1.75**시간 (**$= \frac{7}{4}$**시간** $= 1$**시간** 45**분) 후 권고기준을 만족하게 된다.**

(2) 문제에서와 같이 24**시간마다 일정하게 환기를 반복할 때 벤젠 농도가** 30**이상인 시간의 총합을 최소화하려면 처음** 24**시간 경과했을 때 벤젠 농도가** 30 **이하이어야 한다. 즉, 처음 창문을 열어** t**시간 동안 환기시킨 후 창문을 닫고** $24-t$**시간 지났을 때** $30\mu g/m^3$**이하가 되면 된다. 이를 부등식으로 나타내면**

$$150(0.4)^t(1.25)^{24-t} \leq 30$$

이고 이를 로그함수를 이용하여 풀면

$$(0.4)^t(1.25)^{24-t} \leq 0.2$$

$$t \times \log 0.4 + (24-t) \times \log 1.25 \leq \log 0.2$$

$$\left(※\log 1.25 = \log \frac{25}{100} = \log 25 - \log 100 = 3\log 5 - 2\log 10 = 3 \times 0.7 - 2 = 0.1 \right)$$

$$t \times (-0.4) + (24-t) \times (0.1) \leq -0.7$$

$$t \times (-0.4 - 0.1) \leq -0.7 - 24 \times 0.1$$

$$t \times (-0.5) \leq -3.1$$

$t \geq 6.2$ **또는** $\frac{31}{5}$**이다.**

즉, 매일 적어도 6.2**시간 (**$= \frac{31}{5}$**시간** $= 6$**시간** 12**분)동안 환기해야 한다.**

(3) 문제에서와 같이 8시간마다 일정하게 환기를 반복할 때 8시간마다 벤젠 농도는 직전 농도에 $0.4^2 \times 1.25^6$**을 곱한 값이 된다. 8시간씩** n**번 지난 후 벤젠 농도가** $30\mu g/m^3$**이하가 되었다면**

$$150(0.4)^{2n}(1.25)^{6n} \le 30$$

이다. 이를 (1), (2)에서와 같이 로그함수를 이용하여 풀면 $n \ge 3.5$**이다.** n**은 정수이므로** $n=4$**이다. 즉,** $8\times 3=24$**시간 후** $(n=3)$ **벤젠 농도는 30보다 크지만** $8\times 4=32$**시간 후** $(n=4)$ **벤젠 농도는 30보다 작게 된다.**

그런데, 24시간과 32시간 사이에 벤젠 농도가 30이하로 내려가는 때가 있고 그 이후에는 항상 벤젠 농도가 30 이하이다. 이 시점을 $24+t$**라 하면 (단,** $0<t<8$**)**

$$150(0.4)^6(1.25)^{18}(0.4)^t \le 30$$

이고, 이를 로그함수를 이용하여 풀면

$$(0.4)^6(1.25)^{18}(0.4)^t \le 0.2$$
$$6\times\log 0.4+18\times\log 1.25+t\times\log 0.4 \le \log 0.2$$
$$6\times(-0.4)+18\times(0.1)+t\times(-0.4) \le -0.7$$
$$t\times(-0.4) \le -0.1$$

$t \ge 0.25$**이다.**

즉, $24+0.25=24.25$**시간 (**$=\dfrac{97}{4}$**시간** $=24$**시간 15분) 후 입주가 가능하다.**

[문제 2]

(1) [그림 3a]에서 밑면에서 평면 α**까지의 높이를** h**라 하면** $h=x+a_1$**이다. [그림 3b]의 안쪽 원의 반지름을** r**이라 하면** $h=Ar^2+a_1$**이므로,** $x=Ar^2$**즉,** $r=\sqrt{\dfrac{x}{A}}$**이다. 바깥쪽 원의 반지름은 1이므로** $S(x)=\pi-\pi r^2=\pi-\dfrac{\pi x}{A}$**이다. 또한** $0\le r\le 1$**이므로** $0\le x\le A$**이다. 구하는 물의 부피는 점 P아래쪽 부분의 부피와 점 P위쪽 부분의 부피의 합이므로**

$$\pi a_1+\int_0^A S(x)dx=\pi a_1+\pi A-\frac{\pi A^2}{2A}=\pi a_1+\frac{\pi A}{2}$$

이다.

(2) 놀이기구가 정지했을 때 물의 부피는 2π**인데 회전할 때도 물통 안의 물의 부피는 이와 동일하므로 (1)의 결과에서** $\pi a_1+\dfrac{\pi A}{2}=2\pi$**이다.**

$$a_1=2-\frac{\sqrt{3}}{12} \text{ 로부터 } A=4-2a_1=4-2\left(2-\frac{\sqrt{3}}{12}\right)=\frac{\sqrt{3}}{6}$$

이다.

(3) 수면의 높이는 $h = Ar^2 + a_1$이므로 $\frac{dh}{dr} = 2Ar$이고 점 Q에서 (즉, $r = 1$일 때) 접선의 기울기는 $2A = \frac{\sqrt{3}}{3}$이다. $\tan\left(\frac{\pi}{6}\right) = \frac{\sqrt{3}}{3}$이므로 $\theta_1 = \frac{\pi}{6} = 30^\circ$이다.

(4) 물이 넘친 부분의 부피는 회전으로 인해 움푹 파이게 되는 부분의 부피와 같다. 이 부분의 부피를 (1)에서와 같이 구한다. 움푹 파인 부분의 바닥에서부터 높이가 x인 지면과 평행한 평면으로 자른 단면은 [그림 3b]의 안쪽원과 같이 반지름 $\sqrt{\frac{x}{A}}$인 원이다. 단면적은 $\frac{\pi x}{A}$이고 $0 \le x \le A$이므로 구하는 부피는 $\int_0^A \frac{\pi x}{A} dx = \frac{\pi A}{2} = \frac{\pi\sqrt{3}}{12}$이다.

(5) 물컵 안의 수면의 높이는 $h = Ar^2 + a_2$이므로 (3)에서와 같이 놀이기구 중심축과 거리 r인 점에서 기울기는 $2Ar = \frac{r}{\sqrt{3}}$이다. 물컵의 중심에서 수면이 지표면과 이루는 각이 60° 이하라면 $\frac{r}{\sqrt{3}} \le \tan 60^\circ = \sqrt{3}$이므로 구하는 최댓값은 $r = 3\,(\mathrm{m})$이다.

[문제 3]

(1) 3개의 소자 중 각각의 소자에 오류가 생길 사건은 서로 독립이며 확률은 $\frac{1}{2}$이므로 오류가 생긴 소자의 개수는 이항분포 $\mathrm{B}\left(3,\ \frac{1}{2}\right)$를 따른다. [세로줄 수정] 직후 첫 번째 세로줄에 오류가 남아있는 경우는 처음에 그 세로줄의 3개의 소자 중 오류가 생긴 소자가 2개 또는 3개인 경우이므로 확률은 ${}_3C_2 \times \frac{1}{2^3} + {}_3C_3 \times \frac{1}{2^3} = \frac{3}{8} + \frac{1}{8} = \frac{1}{2}$이다.

(2) 각 세로줄에 대해 [세로줄 수정] 직후 오류가 남아있을 사건은 서로 독립이고, (1)의 결과에 의해 각각의 확률은 1/2이다. 따라서, [세로줄 수정] 직후 n개의 세로줄 중 k개의 세로줄에 오류가 남아있을 확률은 이항분포에 의해 ${}_nC_k \times \frac{1}{2^n}$이다. 구하는 확률은 n개 중 2개 이하의 세로줄에 오류가 남아있는 사건의 여사건의 확률이므로

$$\mathrm{P}(A) = 1 - \frac{1}{2^n}\left({}_nC_0 + {}_nC_1 + {}_nC_2\right) = 1 - \frac{1}{2^n}\left(1 + n + \frac{n(n-1)}{2}\right) = 1 - \frac{1}{2^{n+1}}\left(n^2 + n + 2\right)$$

이다.

(3) $n = 3$일 때, $3 \times 3 = 9$개의 소자의 오류 여부를 O, X로 그림 (c), (d)와 같이 나타낸다면 $2^9 = 516$가지 경우가 있다. 이들 중 각각의 세로줄에 두 개 이상의 오류가 있는 초기상태들의 집합이 A이다. A에 속하는 경우 중 만약 (d)와 같이 한 세로줄에 세 개의

오류가 있으면 세 개의 오류를 포함한 가로줄이 있게 되어서 장치는 오작동한다. 그러므로, 초기상태 $I \in C$ 이면, I 는 각 세로줄에 오직 두 개씩의 오류를 가진다.

그런데, 두 개씩의 오류를 가진 세로줄은 $\begin{matrix}\bigcirc & \times & \times \\ \times & \bigcirc & \times \\ \times & \times & \bigcirc\end{matrix}$ 중 하나이다. 만약 $\begin{matrix}\bigcirc & \times & \bigcirc \\ \times & \times & \times \\ \times & \bigcirc & \times\end{matrix}$ 와 같이, 같은 모양의 세로줄이 있으면, 역시 세 개의 오류를 포함한 가로줄이 있게 되어서 장치는 오작동한다.

그러므로, $C = A - B$ 에 포함되는 초기상태는 (c)와 같이 $\begin{matrix}\bigcirc & \times & \times \\ \times & \bigcirc & \times \\ \times & \times & \bigcirc\end{matrix}$를 (중복없이) 나열한 것들이다. 따라서 $3! = 6$가지가 있다. 그러므로 $\mathrm{P}(C) = 6/2^9 = 3/256$이다.

(4) $C = A - B$ 이므로 $B \cap C = \varnothing$, 즉 B와 C는 서로 배반사건이다. 또한 $B \subset A$이므로 $A = B \cup C$ 이다. 따라서 $\mathrm{P}(A) = \mathrm{P}(B) + \mathrm{P}(C)$이다. $n = 3$인 경우, (2)의 결과에 의해 $\mathrm{P}(A) = \frac{1}{8}$이므로 $\mathrm{P}(B) = \mathrm{P}(A) - \mathrm{P}(C) = \frac{1}{8} - \frac{3}{256} = \frac{29}{256}$이다.

(5) (3)에서와 같이 $n = 4$일 때 A, B, C에 속하는 경우를 구한다. 먼저 $4 \times 3 = 12$개의 소자의 오류 여부를 ○, ×로 아래 그림 (e), (f)와 같이 나타낸다면 2^{12}가지 경우가 있다.

이 중 A에 속하는 경우는 $\begin{matrix}\times & \bigcirc & \times & \times \\ \times & \times & \bigcirc & \times \\ \times & \times & \times & \bigcirc\end{matrix}$ 와 같은 세로줄이 (중복을 허용하여) 세 개 이상 있는 경우이다. 이때, 네 세로줄 중에 하나가 $\begin{matrix}\times \\ \times \\ \times\end{matrix}$ 이거나 $\begin{matrix}\bigcirc & \times & \times \\ \times & \bigcirc & \times \\ \times & \times & \bigcirc\end{matrix}$ 중 같은 세로줄이 2개 이상 있으면 (3)에서와 같이 [세로줄 수정] 직후 세 개 이상의 오류를 포함한 (즉, ×가 세 개 이상인) 가로줄이 있어서 오작동한다. (즉, B에 속하는 경우이다.)

따라서, C가 속하는 경우는 네 개의 세로줄 중 $\begin{matrix}\bigcirc & \times & \times \\ \times & \bigcirc & \times \\ \times & \times & \bigcirc\end{matrix}$ 이 하나씩 있고 나머지 한 세로줄은 오류가 한 개 이하인 즉, 아래그림의 (g) 중 하나인 경우이다. 이러한 경우의 수는 4개의 세로줄 중 3개를 선택하여 $\begin{matrix}\bigcirc & \times & \times \\ \times & \bigcirc & \times \\ \times & \times & \bigcirc\end{matrix}$ 을 나열하고 나머지 한줄에 (g)의 세로줄 4가지 중 하나를 선택하는 경우의 수이므로 ${}_4C_3 \times 3! \times 4$이다.

따라서 $\mathrm{P}(C)=\dfrac{{}_4C_3\times 3!\times 4}{2^{12}}=\dfrac{3}{128}$**이다.**

(2)에 의해 $n=4$**일 때** $\mathrm{P}(A)=\dfrac{5}{16}$**이고, (4)에서와 같이** $\mathrm{P}(A)=\mathrm{P}(B)+\mathrm{P}(C)$**이므로,**

$$\mathrm{P}(B)=\mathrm{P}(A)-\mathrm{P}(C)=\frac{5}{16}-\frac{3}{128}=\frac{37}{128}$$

이다.

(e)	(f)	(g)
○ × ○ × × × × ○ × ○ × ×	○ × × ○ × × × ○ × ○ × ×	○ × ○ ○ ○ ○ × ○ ○ , ○ , ○ , ×

6. 2021학년도 홍익대 수시 논술 (오전)

[문제 1] [20점]

(1) $D(3,1)$과 $D(4,2)$를 구하고, 모든 자연수 n에 대하여 $D(n,1)$과 $D(n,2)$를 각각 n에 대한 식으로 표현하시오.

(2) $n\geq 2$인 모든 자연수 n에 대하여 점 A는 좌표 1에서 시작하면 첫 '시행' 후 $\frac{1}{2}$의 확률로 좌표 0으로 이동하여 '실패'하거나, $\frac{1}{2}$의 확률로 좌표 2로 이동한 후에 '시행'을 반복하게 된다. 이를 이용하여 $S(n,1)$을 $S(n-1,2)$에 대한 식으로 표현하시오.

(3) $n\geq 2$인 모든 자연수 n에 대하여 문항 (2)와 유사한 방식으로 $S(n,2)$를 $S(n-1,1)$에 대한 식으로 표현하시오.

(4) 모든 자연수 n에 대하여 $S(n,2)=F(n,1)$가 성립함을 간단히 설명하고, 이 사실을 이용하여 $a_n=S(n,1)$과 $b_n=S(n,2)$에 대해 수열 $\{a_n+b_n\}$의 극한값 $\lim\limits_{n\to\infty}(a_n+b_n)$을 구하시오.

(5) 문항 (4)에서 정의한 두 수열 $\{a_n\}$과 $\{b_n\}$의 극한이 모두 존재할 때, $\{a_n\}$의 극한값 $\lim\limits_{n\to\infty}a_n$과 $\{b_n\}$의 극한값 $\lim\limits_{n\to\infty}b_n$을 각각 구하시오.

[문제 2] [20점]

(1) <그림 1>에서 제거된 지방의 부피를 구하시오.

(2) 복부 위에서 바라보았을 때, 좌표평면 위를 흡입관 끝이 움직인다.
시각 t에서의 흡입관 끝의 위치 점 $P(x, y)$가

$$x=e^{-t}\cos t,\ y=e^{-t}\sin t$$

일 때, 점 $P(x, y)$가 시각 $t=0$에서 $t=\pi$ 까지 움직인 거리를 구하시오.

(3) <그림 2>에서 삽입하는 의료 보형물인 원뿔의 중심축은 반구 밑면의 중심을 지나고 반구 밑면에 수직이다. 이때 삽입 가능한 의료 보형물의 최대 부피를 구하시오.

[문제 3] [20점]

(1) $n=3$일 때 '회전 도형'이 훑고 지나간 면적을 구하시오.

(2) n이 3 이상의 홀수일 때 <그림 2>와 같이 중심 O에서 꼭짓점까지의 거리가 1인 정 n각형의 가장 먼 두 꼭짓점 사이의 거리를 r_n이라 하자. $r_n=2\cos\left(\frac{\pi}{2n}\right)$임을 보이시오.

(3) n이 3 이상의 홀수일 때 '회전 도형'이 훑고 지나간 면적을 S_n이라 하자.
S_n의 식을 구하고, $\lim_{k\to\infty}S_{2k+1}$의 값과 그 의미를 설명하시오. (단, k는 자연수이다.)

[문제 1]

(1) 좌표 1에서 시작하여 3회의 시행 후 '보류'가 되는 경우는 3번의 동전을 던지는 '시행'에서 '앞뒤앞'이 나와야 한다. 이러한 확률은 $\left(\frac{1}{2}\right)^3$이다. 마찬가지로 좌표 2에서 시작하여 4회의 시행 후 '보류'가 되는 경우는 4번의 동전을 던지는 '시행'에서 '뒤앞뒤앞'이 나와야 한다. 이러한 확률은 $\left(\frac{1}{2}\right)^4$이다.

좌표 1에서 시작하여 n회의 시행 후 '보류'가 되는 경우는 n회의 '시행'에서 '앞뒤앞...'이 연속으로 번갈아 나오는 경우뿐이다. 따라서 $D(n, 1)=\left(\frac{1}{2}\right)^n$이다. 마찬가지로 $D(n, 2)=\left(\frac{1}{2}\right)^n$이다.

(2) 점 A가 좌표 1에서 출발하면 첫 '시행' 후 $\frac{1}{2}$의 확률로 좌표 0으로 이동하여 '실패'하거나, $\frac{1}{2}$의 확률로 좌표 2로 이동하여 '시행'을 반복하게 된다. 이때 좌표 2로 이동한 후 '성공'할 확률은 시작 좌표가 2이고 '시행횟수'가 $n-1$인 경우와 같으므로 $S(n-1, 2)$이다. 따라서 $S(n, 1)=\frac{1}{2}S(n-1, 2)$이다.

(3) 점 A가 좌표 2에서 출발하면 첫 '시행' 후 $\frac{1}{2}$의 확률로 좌표 3으로 이동하여 '성공'하거나, $\frac{1}{2}$의 확률로 좌표 1로 이동하여 $n-1$회 '시행'을 반복하게 된다. 이때 좌표 1로 이동한 후 '성공'할 확률은 시작좌표가 1이고 '시행횟수'가 $n-1$인 경우와 같으므로 $S(n-1,\ 1)$이다. 따라서 $S(n,\ 2)=\frac{1}{2}S(n-1,\ 1)+\frac{1}{2}$이다.

(4) 좌표 1에서 시작하여 '성공'하는 사건과 좌표 2에서 시작하여 '실패'하는 사건은 대칭이다. 따라서 $S(n,\ 2)=F(n,\ 1)$이다. 확률의 총합은 1이어야 하므로

$$S(n,\ 1)+D(n,\ 1)+F(n,\ 1)=1$$

이다. 이를 이용하여

$$a_n+b_n=S(n,\ 1)+S(n,\ 2)=1-\left(\frac{1}{2}\right)^n$$

을 얻을 수 있다. 따라서 $\lim_{n\to\infty}(a_n+b_n)=\lim_{n\to\infty}\left\{1-\left(\frac{1}{2}\right)^n\right\}=1$이다.

(4) 두 수열의 극한값을 $a=\lim_{n\to\infty}a_n$과 $b=\lim_{n\to\infty}b_n$로 정의하자. 문항 (4)의 결과에 의해 $a+b=1$이다. 문항 (2)에서 얻은 관계는 $a_n=\frac{1}{2}b_{n-1}$와 같이 표현할 수 있다. 이 식의 양변에 극한을 취하면

$$a=\lim_{n\to\infty}a_n=\lim_{n\to\infty}\frac{1}{2}b_{n-1}=\frac{1}{2}b$$

이다. 따라서 $a=\frac{1}{3},\ b=\frac{2}{3}$이다.

[문제 2]

(1) 높이를 축으로 생각하면 축에 수직인 평면으로 자른 단면은 반지름 $1-\sqrt{h}$인 원이고 단면적은 $\pi(1-\sqrt{h})^2$이다. 다음과 같이 정적분을 이용하여 부피를 구한다.

$$\int_0^1\pi(1-\sqrt{h})^2dh=\int_0^1\pi(1-2\sqrt{h}+h)dh$$
$$=\pi\left[h-\frac{4}{3}h^{\frac{3}{2}}+\frac{1}{2}h^2\right]_0^1$$
$$=\frac{1}{6}\pi$$

(2) 점 P가 움직인 거리 l은 다음과 같다.

$$l=\int_0^\pi\sqrt{\left(\frac{dx}{dt}\right)^2+\left(\frac{dy}{dt}\right)^2}\,dt$$

$$\frac{dx}{dt}=-e^{-t}\cos t-e^{-t}\sin t,\quad \frac{dy}{dt}=-e^{-t}\sin t+e^{-t}\cos t$$

이므로,

$$l=\int_0^\pi\sqrt{(-e^{-t}\cos t-e^{-t}\sin t)^2+(-e^{-t}\sin t+e^{-t}\cos t)^2}\,dt$$

$$=\int_0^\pi e^{-t}\sqrt{(\cos t+\sin t)^2+(-\sin t+\cos t)^2}\,dt$$

$$=\int_0^\pi e^{-t}\sqrt{2(\sin^2 t+\cos^2 t)}\,dt$$

$$=\int_0^\pi e^{-t}\sqrt{2}\,dt$$

$$=\sqrt{2}\left[-e^{-t}\right]_0^\pi$$

$$=\sqrt{2}(1-e^{-\pi})$$

(3)

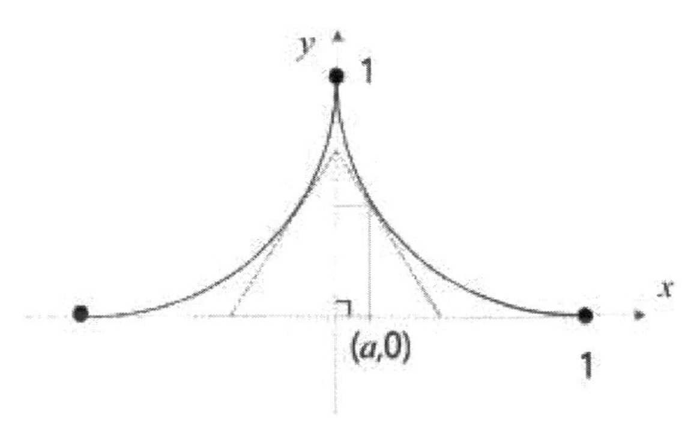

밑면의 중심과 밑면에 수직으로 지나는 평면으로 <그림 2>의 복부를 잘랐을 때, 원뿔의 단면은 위의 그림과 같이 $y=(x-1)^2$와 $y=(x+1)^2$에 각각 접하는 2개의 직선들과 x축 상 $(-1,\ 0)$과 $(1,\ 0)$사이의 직선으로 이루어진 삼각형이다.

<그림 3>의 $x=a$에서 $y=(x-1)^2$에 접하는 접선의 기울기는 $2(a-1)$이며, 접선의 방정식은 다음과 같다.

$$y=2(a-1)(x-a)+(a-1)^2$$

해당 직선이 x축과 y축과 만나는 점들은 각각 $\left(\frac{a+1}{2},\ 0\right)$과 $(0,\ 1-a^2)$이다.

즉, 원뿔 밑면의 반지름은 $\frac{a+1}{2}$이고, 원뿔의 높이는 $1-a^2$이다.

따라서 원뿔의 부피는 $V=\frac{1}{12}\pi(a+1)^2(1-a^2)$**이다. 단,** $0\le a\le 1$**이다.**

함수 V**의 도함수** $\frac{dV}{da}=\frac{1}{6}\pi(a+1)(-2a^2-a+1)$**는** $a=\frac{1}{2}$**에서** $\frac{dV}{da}=0$,

$0<a<\frac{1}{2}$**에서** $\frac{dV}{da}>0$, $\frac{1}{2}<a<1$**에서** $\frac{dV}{da}<0$**을 만족한다. 그래프의 개형으로부터 구간** $[0,\ 1]$**에서 함수** V**는** $a=\frac{1}{2}$**에서 최댓값** $\frac{9}{64}\pi$**을 취한다. 즉, 원뿔의 최대 부피는** $\frac{9}{64}\pi$**이다.**

[문제 3]

(1) 정삼각형이 차지하는 (i) 영역과, 꼭짓점의 궤적에 포함되는 (ii) 영역의 합으로 나누어 생각할 수 있다.

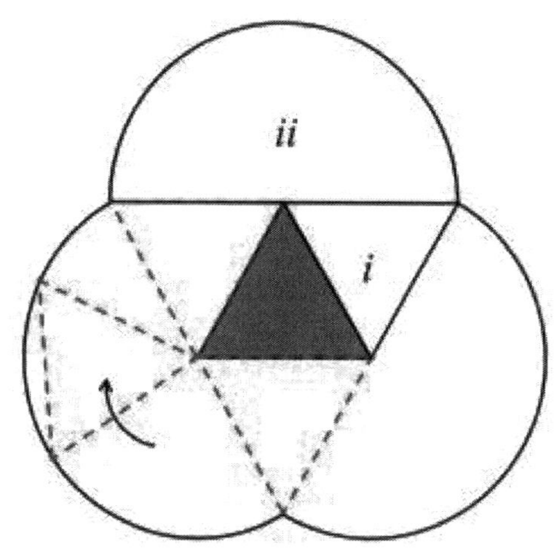

(i) 영역: 정삼각형 3**개, 한 변의 길이** $\sqrt{3}$**: 총 넓이** $3\times\left(\frac{3\sqrt{3}}{4}\right)$

(ii) 영역: 부채꼴 3**개, 반지름** $\sqrt{3}$**, 중심각** π**: 총 넓이** $3\times(3\pi/2)$

총 넓이 $\frac{9\sqrt{3}}{4}+\frac{9\pi}{2}$

(2) 정 n**각형의 중심을** O**라고 한다 (예시 그림:** $n=5$**인 경우)**

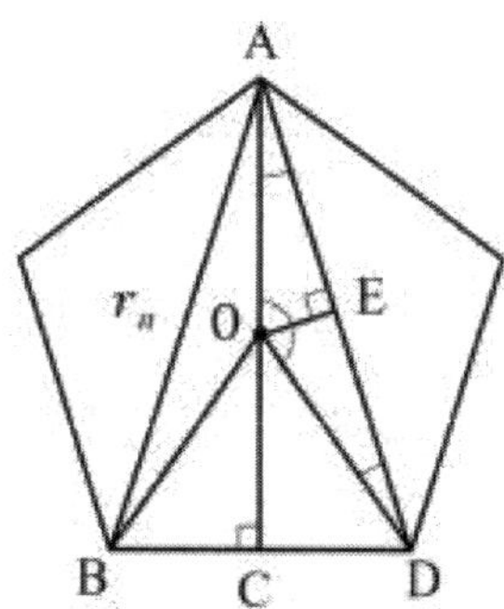

이등변삼각형 OBD에서 $\angle BOD = 2\pi/n$이므로,

$$\angle COD = 1/2 \times \angle BOD = \pi/n$$

$\angle AOD = \pi - \angle COD = \dfrac{n-1}{n}\pi$이므로,

이등변삼각형 AOD에서 $\angle OAD = \angle ODA = \left(\pi - \dfrac{n-1}{n}\pi\right)/2 = \dfrac{\pi}{2n}$

$$\cos(\angle ODA) = \cos\left(\frac{\pi}{2n}\right) = \frac{\overline{DE}}{1} = r_n/2$$

$$r_n = 2\cos\left(\frac{\pi}{2n}\right)$$

(3) n개의 (i) 영역 및 (ii) 영역의 합으로 생각할 수 있다. 이때 (i)은 정 n각형의 한 변과 두 개의 가장 먼 두 꼭짓점 사이를 잇는 선분으로 이루어진 이등변삼각형이고, (ii)는 r_n을 반지름으로 갖는 부채꼴이다.

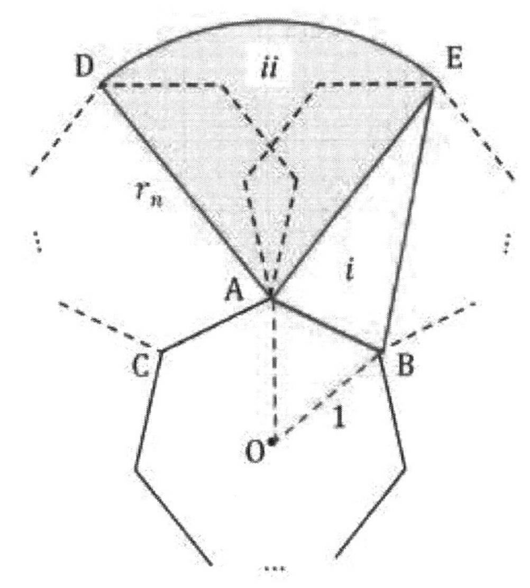

$\angle CAB$는 정 n각형의 내각이므로 $\angle CAB = \pi\left(\dfrac{n-2}{n}\right)$

이등변삼각형 ABE에 대하여 위 문제에서 $\dfrac{\angle AEB}{2} = \dfrac{\pi}{2n}$이므로 $\angle EAB = \dfrac{\pi}{2}\left(\dfrac{n-1}{n}\right)$

점 A주위로 $2\pi = \angle DAE + 2\angle EAB + \angle CAB$ 이므로 $\angle DAE = 3\pi/n$

위 문제에서 주어진 것과 같이 $r_n = 2\cos\left(\dfrac{\pi}{2n}\right)$

(i) 이등변삼각형 n개, 긴 변 $r_n = 2\cos\left(\dfrac{\pi}{2n}\right)$, 사이각 π/n:

총 넓이: $n \times \left(2\cos\dfrac{\pi}{2n}\right)^2 \times \dfrac{\sin(\pi/n)}{2}$

(ii) 부채꼴 n개, 반지름 $r_n = 2\cos\left(\frac{\pi}{2n}\right)$, 중심각 $3\pi/n$:

총 넓이 $n \times \left(2\cos\frac{\pi}{2n}\right)^2 \times \frac{3\pi}{2n}$

$$S_n = 4\cos^2\left(\frac{\pi}{2n}\right) \times \left(\frac{n\sin(\pi/n)}{2} + \frac{3\pi}{2}\right)$$

$$S_{2k+1} = 4\cos^2\left(\frac{\pi}{2(2k+1)}\right) \times \left(\frac{(2k+1)\sin(\pi/(2k+1))}{2} + \frac{3\pi}{2}\right)$$

$$\lim_{k\to\infty} S_{2k+1} = 8\pi$$

극한을 취하면 반지름 1인 원 '회전도형'이 반지름 1인 원 '고정도형'의 둘레에 접하며 움직이는 것과 같다 (아래 그림과 같이 반지름 3인 원의 중심에 반지름 1인 구멍이 뚫린 영역)

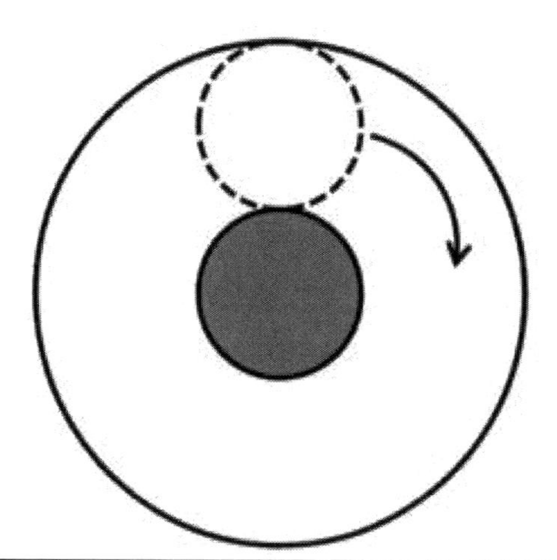

7. 2021학년도 홍익대 수시 논술 (오후)

[문제 1] [20점]

(1) 함수 $f(N)$을 구하시오.

(2) $g(N) = \frac{f(N+1)}{f(N)}$일 때, $g(N)$을 $\frac{N^2+cN+d}{N^2+aN+b}$의 형태로 구하시오.

(3) $f(N+1) > f(N)$을 만족하는 N의 범위와 $f(N+1) < f(N)$을 만족하는 N의 범위를 각각 구하시오.

(4) 위의 결과를 이용하여 $f(N)$이 최대가 되는 자연수 N의 값을 구하고, 그 이유를 설명하시오.

[문제 2] [20점]

(1) $a_0 > 0$이면 $f(x)=0$의 서로 다른 양의 실근의 개수 k_0가 짝수이고, $a_0 < 0$이면 k_0가

홀수임을 위의 제시문에 주어진 것과 같은 표를 이용하여 설명하시오.

(2) 롤의 정리를 이용하여 $k_0 \le k_1 + 1$이 성립함을 설명하시오.

(3) $n \ge 1$이고 a_0와 a_1의 부호가 같은 경우, $k_0 \le k_1$이 성립함을 설명하시오.

(4) $n \ge 2$이고 a_0, a_1, a_2의 부호가 모두 같은 경우, $k_0 \le k_2$이 성립함을 설명하시오.

(5) 다항함수 $f(x) = x^4 + 2718x^3 - 2818x^2 - 3141x - 5926$는 제시문의 조건 (a)와 (b)를 만족한다. 위의 결과들을 이용하여 방정식 $f(x) = 0$의 서로 다른 양의 실근의 개수를 구하시오.

[문제 3] [20점]

(1) 정n각형의 꼭짓점 $\mathrm{P_i}$, $\mathrm{P_j}$를 잇는 선분의 길이 $\overline{\mathrm{P_iP_j}}$를 구하시오. (단, $1 \le i < j \le n$이다.)

(2) 정n각형의 첫 번째 꼭짓점과 다른 꼭짓점을 잇는 선분들의 길이 $\overline{\mathrm{P_1P_2}}$, $\overline{\mathrm{P_1P_3}}$, $\cdots$, $\overline{\mathrm{P_1P}_n}$의 평균을 L_n이라 하자. $M_n = L_n$임을 설명하시오.

(3) $\lim\limits_{n\to\infty} M_n$의 값을 구하시오.

(4) 정$2n$각형의 꼭짓점들이 홀수 번째 꼭짓점은 검은색으로, 짝수 번째 꼭짓점은 흰색으로 칠해져있다. 서로 같은 색 두 꼭짓점을 잇는 선분들의 개수와 서로 다른 색 두 꼭짓점을 잇는 선분들의 개수를 각각 구하시오.

(5) 위 (4)의 정$2n$각형에서 서로 같은 색 두 꼭짓점을 잇는 선분들의 길이의 평균을 F_n이라 하고, 서로 다른 색 두 꼭짓점을 잇는 선분들의 길이의 평균을 G_n이라 하자. $\lim\limits_{n\to\infty} F_n$, $\lim\limits_{n\to\infty} G_n$의 값을 각각 구하시오.

[문제 1]

(1) 총 경우의 수: ${}_{N}C_{25}$(총 N 마리중 25마리를 순서 상관없이 뽑는 경우의 수)

문제의 사건이 일어날 경우의 수: ${}_{20}C_3 \times {}_{N-20}C_{22}$(표식이 붙여진 20마리 중 3마리를 뽑을 경우의 수 ×표식이 붙여지지 않은 $(N-20)$마리 중 $(25-3)$마리를 뽑을 경우의 수)

따라서 이 사건의 확률은

$$f(N) = \frac{{}_{20}C_3 \times {}_{N-20}C_{22}}{{}_{N}C_{25}} = \frac{\dfrac{20!}{3!(20-3)!}\,\dfrac{(N-20)!}{(22)!(N-20-22)!}}{\dfrac{N!}{25!(N-25)!}} = \frac{20!25!(N-20)!(N-25)!}{3!17!22!(N-42)!N!}$$

※ 답안으로 가능한 다른 표현들

$$f(N)=\frac{{}_{20}C_3\times{}_{N-20}C_{22}}{{}_NC_{25}},\quad f(N)=\frac{20\times19\times18\times25\times24\times23\times(N-20)!(N-25)!}{3!(N-42)!N!}$$

(2)

$$g(N)=\frac{\dfrac{{}_{20}C_3\times{}_{N+1-20}C_{22}}{{}_{N+1}C_{25}}}{\dfrac{{}_{20}C_3\times{}_{N-20}C_{22}}{{}_NC_{25}}}=\frac{\dfrac{20!25!(N+1-20)!(N+1-25)!}{3!17!22!(N+1-42)!(N+1)!}}{\dfrac{20!25!(N-20)!(N-25)!}{3!17!22!(N-42)!N!}}$$

$$=\frac{(N-19)(N-24)}{(N-41)(N+1)}=\frac{N^2-43N+456}{N^2-40N-41}$$

(3) $42\le N$**일 때,** $f(N)>0$**이므로** $f(N+1)>f(N)$**일 필요충분조건은**

$1<\dfrac{f(N+1)}{f(N)}=\dfrac{N^2-43N+456}{N^2-40N-41}$ **즉,** $N^2-43N+456>N^2-40N-41$**이다.**

따라서 $3N<497$, $N<\dfrac{497}{3}=165.666\ldots$**이다.**

N**은 자연수이므로** $42\le N\le165$

마찬가지로 $f(N+1)<f(N)$**일 필요충분조건은** $N>165.666\ldots$**이다.**

N**은 자연수이므로** $N\ge166$

(4) (3)으로부터 42**이상의 자연수의 집합에서 정의된 함수** $f(N)$**에 대해,** $42\le N\le165$ **일 때** $f(N)<f(N+1)$**이고,** $N\ge166$**일 때** $f(N)>f(N+1)$**이다.**

즉, $f(42)<f(43)<\cdots<f(165)<f(166)>f(167)>\cdots$**이므로** $N=166$**일 때** $f(N)$**은 최대가 된다.**

[문제 2]

(1) $f(x)$**의 그래프가** x**축에 접하지 않으므로 근의 전후에서** $f(x)$**의 값의 부호가 바뀐다.** $f(x)=0$**의 서로 다른 양의 실근을** $r_1<r_2<\ldots<r_{k_0}$**라 하면,** $a_0>0$**인 경우와** $a_0<0$**인 경우의 제시문에 주어진 것과 같은 표는 각각 아래와 같다.**

(a) $a_0>0$**인 경우**

x	0	…	r_1	…	r_2	…	…	r_{k_0}	…
$f(x)$	a_0	+	0	−	0	+	…	0	$(-1)^{k_0}$의 부호

(b) $a_0<0$**인 경우**

x	0	…	r_1	…	r_2	…	…	r_{k_0}	…
$f(x)$	a_0	−	0	+	0	−	…	0	$(-1)^{k_0+1}$의 부호

$f(x)$의 최고차항의 계수가 양수이므로, $r_{k_0} < x$인 x의 구간에서 $f(x)$의 값의 부호는 +이어야 한다. 따라서, $a_0 > 0$일 때 $(-1)^{k_0}$의 부호가 + 이어야 하므로 k_0는 짝수이다. 마찬가지로 $a_0 < 0$일 때 k_0+1이 짝수이어야 하므로 k_0는 홀수이다.

만약 $f(x)=0$의 양의 실근이 존재하지 않는다면 즉, $k_0=0$이라면, 위와 같은 표의 $x>0$ 구간 전체에서 함숫값의 부호가 + 이어야 하므로 $a_0>0$이다. 따라서 이 경우도 (1)은 성립한다.

(2) 항상 $k_1 \geq 0$이므로 $k_0 \leq 1$인 경우 주어진 부등식은 당연히 성립한다.
이제 $k_0 \geq 2$이라고 가정하고, $f(x)=0$의 서로 다른 양의 실근을 $r_1 < r_2 < \ldots < r_{k_0}$라 하자.
각 $1 \leq i \leq k_0-1$에 대하여 롤의 정리에 의해 $r_i < s_i < r_{i+1}$인 $f'(x)=0$의 양의 실근 s_i이 존재한다.
즉, $r_1 < s_1 < r_2 < s_2 < r_3 < \ldots < r_{k_0-1} < s_{k_0-1} < r_{k_0}$인 $f'(x)=0$의 서로 다른 양의 실근 s_1, s_2, …, s_{k_0-1}이 존재한다. 따라서 $k_1 \geq k_0-1$이 성립하므로 $k_0 \leq k_1+1$이다.

(3) 문항 (1)에 의해 $f(x)$의 상수항인 a_0와 $f'(x)$의 상수항인 a_1의 부호가 같은 경우, k_0와 k_1은 모두 짝수이거나 모두 홀수이다. 따라서 $k_0 \neq k_1+1$이다. 문항 (2)에 의해 $k_0 \leq k_1+1$이므 로 $k_0 \leq k_1$이다.

(4) 문항 (3)에 의해 $k_0 \leq k_1$이다. $f'(x)$의 상수항인 a_1과 $f''(x)$의 상수항인 $2a_2$의 부호가 같으므로 마찬가지로 문항 (3)에 의하여 $k_1 \leq k_2$이다. 따라서 $k_0 \leq k_1 \leq k_2$이므로 $k_0 \leq k_2$이다.

(5) 주어진 다항함수 $f(x)$는 a_0, a_1, a_2의 부호가 모두 같다. 따라서, 문항 (4)의 결과에 의해 $k_0 \leq k_2$이다. 또한, $f''(x)=4 \cdot 3 \cdot x^2+3 \cdot 2718 \cdot x-2 \cdot 2818$이고 $f''(x)=0$은 2차 방정식이므로, $k_2 \leq 2$이다. 따라서, $k_0 \leq k_2 \leq 2$이다.
문항 (1)에 의해 $a_0<0$인 경우에 k_0는 홀수이므로, $k_0 \leq 2$로부터 $k_0=1$임을 알 수 있다.
따라서, $f(x)=0$의 서로 다른 양의 실근의 개수는 1이다.

[문제 3]
(1) 정 n각형의 인접한 두 꼭짓점 사이의 중심각은 $\frac{2\pi}{n}$이므로 i번째, j번째 꼭짓점 사이의 중심각은 $k=j-i$라 하면 $\frac{2\pi}{n}k$ $\left(1 \leq k \leq \frac{n}{2}\right.$인 경우) 또는 $2\pi-\frac{2\pi}{n}k\ \frac{n}{2} \leq k \leq n-1$인

경우) 이다. 반지름 1인 원에서 중심각이 $0 \le \theta \le \pi$인 현의 길이는 $2\sin\frac{\theta}{2}$이며 중심각이 $2\pi-\theta$인 현 $(\pi \le \theta \le 2\pi)$의 길이 또한 $2\sin\frac{2\pi-\theta}{2}=2\sin\left(\pi-\frac{\theta}{2}\right)=2\sin\frac{\theta}{2}$이므로 i번째, j번째 꼭짓점 사이의 거리 $\overline{\mathrm{P}_i\mathrm{P}_j}$는 $2\sin\frac{\pi}{n}k$이다.

(2) 꼭짓점 P_i와 다른 꼭짓점을 이은 선분들의 길이의 평균은 각 $1 \le i \le n$에 대해 모두 동일한 값 L_n이다. 즉,

$L_n=\frac{1}{n-1}\left(\overline{\mathrm{P}_1\mathrm{P}_2}+\overline{\mathrm{P}_1\mathrm{P}_3}+\cdots+\overline{\mathrm{P}_1\mathrm{P}_n}\right)$ (P_1와 다른 꼭짓점을 이은 선분의 길이의 평균)

$L_n=\frac{1}{n-1}\left(\overline{\mathrm{P}_2\mathrm{P}_1}+\overline{\mathrm{P}_2\mathrm{P}_3}+\cdots+\overline{\mathrm{P}_2\mathrm{P}_n}\right)$ (P_2와 다른 꼭짓점을 이은 선분의 길이의 평균)

....

$L_n=\frac{1}{n-1}\left(\overline{\mathrm{P}_n\mathrm{P}_1}+\overline{\mathrm{P}_n\mathrm{P}_2}+\cdots+\overline{\mathrm{P}_n\mathrm{P}_{n-1}}\right)$ (P_n와 다른 꼭짓점을 이은 선분의 길이의 평균)

임의의 두 꼭짓점을 잇는 선분은 위의 n개의 식의 우변에서 두 번씩 나타난다. 가령 꼭짓점 P_i, P_j를 잇는 선분은 i번째, j번째 식의 우변에 한 번씩 나타난다. 따라서 위의 n개의 식을 모두 더하면

$$\begin{aligned} n\times L_n &= \frac{1}{n-1}\times 2\times(\text{모든선분의길이의합}) \\ &= \frac{1}{n-1}\times 2\times\frac{n(n-1)}{2}\times M_n = n\times M_n \end{aligned}$$

을 얻고, 따라서 $L_n=M_n$이다.

(3) (1)과 (2)에 의해

$$\begin{aligned} M_n=L_n &= \frac{1}{n-1}\left(\overline{\mathrm{P}_1\mathrm{P}_2}+\overline{\mathrm{P}_1\mathrm{P}_3}+\cdots\ \overline{\mathrm{P}_1\mathrm{P}_n}\right) \\ &= \frac{1}{n-1}\sum_{k=1}^{n-1}2\sin\left(\frac{\pi}{n}k\right)=\frac{n}{n-1}\cdot\frac{1}{n}\sum_{k=1}^{n}2\sin\left(\pi\frac{k}{n}\right)\ \left(\because \sin\left(\pi\frac{n}{n}\right)=0\right) \end{aligned}$$

이고, $n\to\infty$일 때 극한을 취하면 정적분과 급수 사이의 관계에 의해 극한값은

$$\begin{aligned} \lim_{n\to\infty}M_n &= \lim_{n\to\infty}\frac{n}{n-1}\times\lim_{n\to\infty}\frac{1}{n}\sum_{k=1}^{n}2\sin\left(\pi\frac{k}{n}\right) \\ &= 1\times\int_0^1 2\sin\pi x\,dx=-\frac{2}{\pi}\cos\pi x\Big|_0^1=\frac{4}{\pi} \end{aligned}$$

이다.

(4) 정 $2n$각형에서 검은색, 흰색 꼭짓점들은 각각 n개 있다. 서로 다른 색 꼭짓점을 잇는 선분의 개수는 검은색 꼭짓점 중 하나, 흰색 꼭짓점 중 하나를 선택하는 경우의 수와 같으

므로 $n \times n = n^2$이다. 서로 같은 색 꼭짓점을 잇는 선분의 개수는 전체에서 이 개수를 뺀 수이므로 ${}_{2n}\mathrm{C}_2 - n^2 = \dfrac{2n(2n-1)}{2} - n^2 = n(n-1)$이다.

(5) 정 $2n$각형에서 검은색 꼭짓점들은 정 n각형의 꼭짓점들이다. 따라서 정 $2n$각형에서 두 꼭짓점이 모두 검은색인 선분의 개수는 정 n각형의 두 꼭짓점을 잇는 선분의 개수 $\dfrac{n(n-1)}{2}$이고, 그 길이의 평균은 M_n이다. 두 꼭짓점이 모두 흰색인 선분의 개수와 길이의 평균도 마찬가지이다. 따라서 같은 색 꼭짓점을 잇는 선분의 길이의 평균은 $F_n = \dfrac{1}{2}M_n + \dfrac{1}{2}M_n = M_n$이고 그 극한은 $\lim_{n\to\infty} F_n = \lim_{n\to\infty} M_n = \dfrac{4}{\pi}$이다.

정 $2n$각형의 두 꼭짓점들을 잇는 선분들의 길이의 평균 M_{2n}은 서로 같은색 꼭짓점을 잇는 선분들, 서로 다른색 두 꼭짓점을 잇는 선분들 각각의 개수와 길이의 평균으로부터

$$M_{2n} = \frac{n(n-1)}{2n(2n-1)/2}F_n + \frac{n^2}{2n(2n-1)/2}G_n = \frac{n-1}{2n-1}F_n + \frac{n}{2n-1}G_n$$

와 같이 쓸 수 있다. $n \to \infty$일 때 극한을 취하면 $\lim_{n\to\infty} M_{2n} = \lim_{n\to\infty} M_n = \dfrac{4}{\pi}$로부터

$$\frac{4}{\pi} = \frac{1}{2} \cdot \frac{4}{\pi} + \frac{1}{2} \cdot \lim_{n\to\infty} G_n, \text{ 즉, } \lim_{n\to\infty} G_n = \frac{4}{\pi}$$

이다.